第1次改訂版

事例で学べる
行政判断
課長編

自治体行政判断研究会 編

*自治体課長の職場対応力が
楽しく身につく厳選70ケース*

公職研

まえがき

　自治体において、課長は第一線の管理職である。すなわち、所管業務の企画や推進を始め、部下の育成、議会対応、マスコミ対応などについて、権限と責任をもっている。もちろん、課長といえども組織の一員である以上、すべてを自らの一存で運ぶことはできない。しかし、間違いなく、一定の範囲において最終的な決定をなし得るのである。

　本書は、課長が具体的な問題に直面したとき、どのように対応するべきかについて、事例を通じて考えるために編集された。本書を紐解いていただければ、そこに登場する事例は、いずれの自治体においても起こり得るものである。言うまでもなく、現実に発生する課題は個別具体的なものであり、本書の事例とまったく同じものは存在しない。しかし、本書に述べられている事例とその解説から、何らかの手掛かりが得られるはずである。

　本書が、現に課長職にある方、あるいは、これから課長を目指そうとする方に、何らかの示唆を提供することができれば、我々執筆者としては、身に余る幸せである。

　　　　　　　　　2022年8月　　自治体行政判断研究会

目次

1章 事業の管理、上司との関係・補佐

○事業の管理
1. 比較的長期にわたるプロジェクトの管理・・・・・・・・・・・・・・8
2. 業務を怠った前任者が定年退職していた場合・・・・・・・・・10
3. 外部の団体との調整と議員・・・・・・・・・・・・・・・・・・・・・・・・12
4. 実績の急速な伸長に伴う予算不足への対応・・・・・・・・・・・14
5. 意見を異にする他課との調整・・・・・・・・・・・・・・・・・・・・・・16
6. 支援者が同席する場での議員からの依頼・・・・・・・・・・・・18
7. 議員から情報提供を求められたときの対応・・・・・・・・・・・20
8. 第三者委員会の委員が無理な主張をする場合・・・・・・・・22
9. 職員では対応困難な専門性の高い業務を進める場合・・・24
10. 働き方改革の推進・・・・・・・・・・・・・・・・・・・・・・・・・・・・・・・26

○上司との関係・補佐
11. 市長からの信頼の厚い部長によるパワハラ・・・・・・・・・・・28
12. 部長が自分を飛ばして係長に指示する場合・・・・・・・・・・・30
13. 定年間際でやる気のない所長・・・・・・・・・・・・・・・・・・・・・・32
14. 議員の言いなりになって無理な指示を出す部長・・・・・・・34
15. 部長と副市長の双方から異なる指示を受けた場合・・・・・36
16. 緊急対応で上司の知見が不足する場合・・・・・・・・・・・・・・38
17. 事業に通暁しており細かすぎる指示を出す部長・・・・・・・40
18. 自分の功績のために無理な指示を出す部長・・・・・・・・・・・42
19. 議員対応を回避する事務局長・・・・・・・・・・・・・・・・・・・・・・44

20. 安請け合いをしてしまう部長・・・・・・・・・・・・・・・・・・・・・・・・・・46

2章 職場の管理、職員の指導・育成

○課題がある職場の管理
21. 多忙なため係間の連絡が不充分な職場の管理・・・・・・・・50
22. 市民からの相談を放置してしまう職場の管理・・・・・・・・52
23. 課長の指示が組織全体に浸透しない職場の管理・・・・・・54
24. 専門知識が不足した職場の管理・・・・・・・・・・・・・・・・・・・・56
25. 超過勤務が常態化している職場の管理・・・・・・・・・・・・・・58
26. 担当職員が業務改善に消極的な職場の管理・・・・・・・・・・60
27. 残業が多い状況で、業務を受けざるを得ない職場の管理・・62
28. 個人情報の取扱意識が低い職場の管理・・・・・・・・・・・・・・64
29. コミュニケーションが停滞している職場の管理・・・・・・66
30. 協力体制が構築できない職場の管理・・・・・・・・・・・・・・・・68

○特徴のある職員がいる職場の管理
31. 経験豊富なベテラン係長がいる職場の管理・・・・・・・・・・70
32. 完璧主義の係長がいる職場の管理・・・・・・・・・・・・・・・・・・72
33. 退職間近の職員が多い職場の管理・・・・・・・・・・・・・・・・・・74
34. 問題職員がいる職場の管理・・・・・・・・・・・・・・・・・・・・・・・・76

○職員の指導・育成
35. 仕事を抱えてしまう係長への対応・・・・・・・・・・・・・・・・・・78
36. 優秀だが勤務態度がルーズな係長への対応・・・・・・・・・・80
37. 特定の職員に配慮する係長への対応・・・・・・・・・・・・・・・・82

38. 部下の育成を十分に行わない係長への対応・・・・・・・・・・84
39. 部下から避けられている係長への対応・・・・・・・・・・・・・86
40. まったく休暇を取得しない係長への対応・・・・・・・・・・・88
41. 指示待ち職員への対応・・・・・・・・・・・・・・・・・・・・・・・・・・90
42. テレワークにおける職員の指導・育成・・・・・・・・・・・・・92
43. 周囲との協調性に欠ける職員への対応・・・・・・・・・・・・94
44. ミスを続けて自信を失った職員への対応・・・・・・・・・・96

3章 住民対応と広報・広聴、危機管理

○住民対応と広報・広聴

45. 住民説明会で一人の住民が強硬に主張する場合・・・・・・100
46. 公共の場で個人情報に触れる発言をする職員・・・・・・・・102
47. 議員からの業者紹介・・・・・・・・・・・・・・・・・・・・・・・・・・・104
48. 不当な要求を掲げ長時間居座る住民・・・・・・・・・・・・・・・106
49. 公表前の一社からの取材・・・・・・・・・・・・・・・・・・・・・・・108
50. 福祉施設への苦情・・・・・・・・・・・・・・・・・・・・・・・・・・・・・110
51. ソーシャルメディアによる特産品のPR・・・・・・・・・・・・112
52. 住民からの電話への対応・・・・・・・・・・・・・・・・・・・・・・・114
53. アダプト制度の参加団体への苦情・・・・・・・・・・・・・・・・116
54. 行政への協力を申し出る団体への対応・・・・・・・・・・・・・118

○危機管理

55. 所内で怒鳴り暴れる者への対応・・・・・・・・・・・・・・・・・・120
56. 当方にミスがある苦情への対応・・・・・・・・・・・・・・・・・・122

57. インターネット上に情報が漏えいした場合の対応‥‥124
58. 上司不在のときの事故への対応‥‥‥‥‥‥‥‥‥126
59. メールによるウイルス感染が疑われる場合の対応‥‥128

4章 メンタルヘルス、服務規律

○メンタルヘルス
60. 部下の係長にうつ病が疑われる場合‥‥‥‥‥‥‥132
61. うつ病で病気休職している職員への対応‥‥‥‥‥134
62. うつ病の職員が職場復帰するときの対応‥‥‥‥‥136
63. メンタルヘルスを損なう職員の発生防止策‥‥‥‥138
64. 上司に操うつ病が疑われる場合‥‥‥‥‥‥‥‥‥140
65. 塞ぎ込んでいる係長から話を聴く場合‥‥‥‥‥‥142

○服務規律
66. 職務に関連のある業者とのオンライン会議‥‥‥‥144
67. 部下の公務外での自動車事故‥‥‥‥‥‥‥‥‥‥146
68. アルコールが原因で欠勤が増えた職員‥‥‥‥‥‥148
69. セクシャルハラスメントへの対応‥‥‥‥‥‥‥‥150
70. 副業収入を得る職員‥‥‥‥‥‥‥‥‥‥‥‥‥‥152

＊コラム‥‥‥‥‥‥‥‥‥‥‥‥‥‥‥‥‥‥48・98・130

1章

事業の管理
上司との関係・補佐

設問 1 事業の管理
比較的長期にわたるプロジェクトの管理

　Aは、X市の人事課長である。X市では、人事制度が体系的に整備されておらず、また、事務処理も書類による手作業が多かった。そこで、2年間をかけて、人事評価、評価結果の給与や異動への反映などについて一貫した制度を構築し、それをシステム化することとなった。このプロジェクトは、他の自治体や民間企業の人事制度の調査、職員団体との調整、システム開発を請け負う委託業者との調整など業務が広範に及ぶとともに、新制度の開始は再来年4月と決められている。この場合、プロジェクトを所管するA課長の対応として最も妥当なものは、次のうちどれか。

❶　まず、他の自治体や民間企業の人事制度の調査を先に実施し、その後の進め方は調査結果を待って検討する。
❷　職員団体の理解を得ることが最も重要であることから、先に職員団体の了解を得て、その後、具体的な内容を詰める。
❸　部下と相談しながら、2年間のスケジュール及び課内の役割分担を定めたうえで、進捗管理を行っていく。
❹　自らの経験をもとに2年間のスケジュールを詳細に作成し、部下に対してこのスケジュールを厳守するように指示する。
❺　スケジュール管理が重要であることから、部下に対して2年間の期限を必ず守るように折に触れて厳命する。

全庁に影響を及ぼす制度改正やシステム開発は、数年間にわたる事業となることが多く、多数のタスクを同時に進めなければならないこと、専門知識が求められること、利害関係者が広範囲に及ぶことなどの特徴がある。このようなプロジェクトを管理するものは、まず、タスクの整理、期限までのスケジュールの作成、推進体制の構築を行う必要がある。その後は、進捗を管理するとともに、必要に応じて外部との調整を行い、期限までにプロジェクトを成功に導かなくてはならない。

　事例についてみると、プロジェクトは、新たな人事制度構築に着手する段階である。したがって、A課長としては、人事制度に詳しい部下と相談しながら、今後実施しなければならないタスクを洗い出し、2年間のスケジュールを組み立てるとともに、課内の職員の役割分担、進捗管理や情報共有を行うための会議体の構築などから業務を始める必要がある。A課長は、個々のタスクに深入りするのではなく、プロジェクト全体の進捗管理、部下の手に負えない問題が発生したときの対応に注力するべきである。

❶　誤り。一つのタスクを終わらせてから次を考えるといった手法では、期限までにプロジェクトを完了させることは難しい。

❷　誤り。❶と同様であり、個別の論点に深入りして全体を把握しないようでは、プロジェクトは成功しない。

❸　妥当である。部下の有する専門知識を活用しながら、プロジェクト全体の枠組みや進め方を決めて、進捗管理を行うべきである。

❹　誤り。業務が広範囲に及ぶことから、スケジュールを作成するときには、部下の専門知識を活用する必要がある。

❺　誤り。進捗管理は重要であるが、部下に対して厳命するだけでは、プロジェクトをスケジュール通り進めることはできない。

【正解　❸】

設問 2 事業の管理
業務を怠った前任者が定年退職していた場合

Q

　本年4月、Aは、市の土木事務所の事業課長として着任した。事業課は、市の道路整備に必要な用地買収を所管している。現在、土木事務所で整備を進めている市道X線は、市の中心を貫く重要な道路である。Aが、部下の係長から用地買収の進捗状況を聞いたところ、前任のB課長は用地買収の業務をほとんど進めていなかった。また、部下もそれを奇貨として、のんびり過ごしていた模様であった。B課長は既に定年退職していたので、A課長は、用地買収が遅れた理由を聞き出そうとB元課長の自宅に電話をかけて面会を求めたが、B元課長は言を左右して面会を拒んだ。この場合、A課長の対応として最も妥当なものは、次のうちどれか。

A

❶ 事業課の職員に対して、用地買収を早急に進めるよう指示し、具体的な買収計画を作成させる。

❷ B元課長の自宅を直接訪問して面会を実現し、用地買収が遅れた理由を聞き出す。

❸ 用地買収を早急に進めるため、上司の所長に、事業課の職員数を増やすよう進言する。

❹ 本事案に関するすべての書類を熟読し、用地買収が遅れた理由を詳しく調べ出す。

❺ 本庁の人事所管課に相談して、B元課長に対して何らかの処分ができないかを相談する。

異動した先の職場において、前任者が業務を怠っていた場合、後任者はその対応に追われることになる。後任者としては釈然としない思いもあるだろうが、住民からみれば人事異動は自治体内部の問題であり、業務が進んでいないことには変わりがない。したがって、後任者は、前任者の怠慢のフォローに全力を尽くすべきである。当該前任者が同じ自治体に勤務していれば、今までの経緯を聞き出すとともに、業務を怠っていたことについて責任を追及することも可能であるが、既に退職している場合には困難である。ちなみに、退職した職員に対する懲戒処分は、当該職員が当該自治体に再任用されているなどの場合を除き不可能である（地方公務員法29条2項、3項参照）。

事例についてみると、まず、A課長としては、遅延している用地買収を進めることが最も重要である。そのためには、のんびり過ごしてきた部下に対して、これからは用地買収を速やかに進めるよう指示するとともに、そのための具体的な計画を策定させ、実行に移すべきである。

❶ 妥当である。市道X線の重要性を考えれば、事業課を挙げて用地買収に取組むべきである。
❷ 誤り。B元課長に無理に面会するよりも、用地買収を進める方が重要である。
❸ 誤り。課長としては、まずは、現在の事業課の体制で全力を尽くして用地買収を進めるべきである。
❹ 誤り。用地買収が遅れた理由を調べることに多くの時間を割くのではなく、用地買収を進めるべきである。
❺ 誤り。A課長の立場においては、B元課長の処分を求めるよりも、用地買収を進める方が先である。

【正解　❶】

設問 3 事業の管理
外部の団体との調整と議員

Q

　Aは、X市の商工部産業振興課長である。同課では、商店街振興を重要な施策の一つとしている。市内には、三つの商店街があり、それぞれ商店会を組織しており、同課は各商店会と調整しながら施策を展開している。しかし、それぞれの商店会は、補助金の交付にあたって自らに少しでも多くの配分を求め、しかも、それぞれの商店街は、そこを地盤とする市議会議員が支援していたため、毎年度、補助金交付にあたって、同課は調整に苦労していた。このような状況のもと、市長査定を終えた来年度の予算案では、市の厳しい財政状況を反映して、商店会への補助金が10％削減されてしまった。この場合、A課長の対応として最も妥当なものは、次のうちどれか。

A

❶　財政部門に対して、商店街の状況を説明し、予算案を変更して補助金を増額してもらうよう強く働きかける。

❷　三つの商店会の会長を一堂に集め、それぞれの商店会に交付する補助金を一律10％削減する旨を伝える。

❸　最も大きな商店会への補助金を削減し、他の二つの商店会への補助金は今年度と同額にすることとし、この旨を各商店会へ伝える。

❹　商店会の会長を個別に訪問し、市の財政状況を説明したうえ、補助金を一律10％削減する旨を伝える。

❺　商店街を地盤とする議員と個別に面会し、補助金削減の理由を丁寧に説明して理解を求める。

解 説

　自治体が支出する補助金には政策目的があり、その目的が達成された場合や、他に優先する政策課題が現れた場合は、当該補助金は削減又は廃止されるべきである。しかしながら、補助金を交付されていた住民にとってみれば、納得し難いことも多い。また、住民の代表者である議員が、そのような住民の考えを執行機関に対して主張することは、自然なことである。自治体の予算には限りがある以上、このような場合、自治体職員は、しっかりとした理由を携えて、議員や住民に対して粘り強く説明する必要がある。

　事例についてみると、来年度は、三つの商店会への補助金は、総額で10%減額となる。A課長としては、それぞれの商店会への補助金の削減額を慎重に検討して十分な説明理由を構築する必要がある。そのうえで、市議会における予算案の審議が控えていることから、まず、各商店街を地盤とする議員に十分に説明して理解を得ておく必要がある。その後、各商店会の会長にも丁寧に説明をするべきである。

・・・

❶　誤り。市長査定まで終わっている予算案を変更することは困難である。
❷　誤り。いきなり一律10%削減を告げられても商店会長は納得しない。また、商店会長が地元の議員に訴えた場合、市が議員の理解を得ることが難しくなる。
❸　誤り。補助金が減額される商店会は納得しない。また、議員との関係では❷と同様の問題が生じる。
❹　誤り。商店会長は一応納得するかもしれないが、商店会長から議員にこの情報が入った場合、議員との間で❷と同様の問題が生じる。
❺　妥当である。市議会での円滑な予算審議を考えれば、商店会長よりも議員の理解を得る方が先である。

【正解　❺】

設問 4 事業の管理
実績の急速な伸長に伴う予算不足への対応

　Aは、X市の児童福祉課長である。児童福祉課では、地域で子育て支援をする団体への補助金を所管している。近年の児童虐待の増加などを踏まえ、本年度から、補助金の用途を拡充するとともに、補助金の交付を受けた団体にアドバイザーを派遣する事業も開始した。予算要求においては、補助金申請の需要を十分に見積もったつもりであったが、4月の事業開始後、補助金申請が急速な伸びを示し、7月の現時点で予測すると、10月には予算が不足することが明らかとなった。この場合、A課長の対応として最も妥当なものは、次のうちどれか。

❶　予算が尽きた時点で本年度の事業を終了するべく、予め上司の部長の了解を得ておく。
❷　8月以降は、1団体あたりの補助金を減額するとともに、アドバイザーを派遣する事業は中止し、予算内で事業を継続する。
❸　団体が補助金を申請してきた場合の審査基準を厳格にすることにより、補助金の支出を抑制する。
❹　補正予算の提出も視野に入れて、予算の増額について財政部門と調整を開始する。
❺　補助金の交付を受けた団体の事業を実際に確認し、その事業が効果的なものであれば、予算の増額を検討する。

自治体は、自らの政策課題の解決に向けて、最も効果的な手法を検討し、実施に移していくが、新たな施策の場合、そのニーズを正確に把握することが困難な場合もある。施策を実施したときに予想以上のニーズが現れた場合は、自治体としては、可能な限りそのニーズに応えていくべきである。そのためには、予算や人員などの措置について、できるだけ柔軟に対応することが必要である。また、当初の予想を超えるニーズが現れた理由について調査を行い、翌年度以降の事業展開につなげていくことも忘れてはならない。

　事例についてみると、X市は、喫緊の課題である児童虐待を始めとする児童福祉に積極的に取組んでおり、本年度は、新規施策を加えて事業を拡充した。この事業が、地域の子育て支援をする団体のニーズに合致した施策であったため、多数の補助金申請につながったと考えられる。したがって、A課長としては、可能な限りニーズに応えるべく、財政部門と調整して予算の確保に努めるべきである。その際には、前年度の予算要求時に見積もった申請件数と実際の申請件数が大きく異なった理由を検証し、今後の見通しを精査する必要がある。

・・

❶　誤り。住民ニーズを無視した対応であり、補助金を申請する団体の理解を得ることは困難である。

❷　誤り。施策の水準を低下させる対応であり、政策課題の解決から遠ざかってしまう。

❸　誤り。それまでに補助金を申請した団体と異なる対応をすることとなり、後から補助金を申請した団体の理解を得られない。

❹　妥当である。財政状況の許す限り、予算を増額するべく鋭意調整するべきである。

❺　誤り。補助要綱等に定められた事業を実施しているか確認することは必要であるが、そのことと予算の増額は別の話である。

【正解　❹】

設問 **5** 事業の管理
意見を異にする他課との調整

Q

X市には3か所の市民センターがあり、集会施設や展示施設を備えている。Aは市民センターを管理運営する市民部施設課長である。人口が減少しつつあるX市では、老朽化した市民センターを統廃合しようとしており、そのプランの策定はB行政改革課長が所管している。A課長は、施設の統廃合はやむを得ないものの、日頃の利用者の意見を踏まえると、急速な統廃合は住民の理解を得られないと考えている。ある日、B課長はA課長に対して、「X市の今後の財政見通しや、他の自治体の動向等を詳細に検討した結果、来年4月に公表する行政改革計画では、来年10月に市民センターを2か所に統廃合することを明記したい」と言った。この場合、A課長の対応として最も妥当なものは、次のうちどれか。

A

❶ 上司の市民部長と相談して、来年10月に市民センターを2か所に統廃合する具体的な計画を策定する。

❷ 直ちに、B課長に対して、来年10月の統合については責任がもてない旨を強く主張する。

❸ 市民センターに、来年10月に統廃合が実施される旨を掲示し、利用者の意見を聴取して、B課長に示す。

❹ 3か所の市民センターの利用状況を詳細に分析し、来年10月の統廃合は時期尚早である旨をB課長に説明する。

❺ 市民センターに関心のある市議会議員にB課長の見解を説明し、B課長の意見に反対するよう要請する。

現在、多くの自治体において、人口が減少するとともに高齢化が進む中、高度成長期に建設した施設の維持、更新について苦慮している。住民の利便性を考えれば、従来の施設をそのまま維持又は更新するのが望ましいが、将来にわたって厳しい財政状況が予測されるため、それは困難である。また、利用実績が低迷し、あるいは、利用者が特定の住民に偏っている施設を納税者全員の負担で維持することの是非についても、議論が提起されている。このため、自治体は、高度成長期に拡大していった公共施設の統廃合を迫られることとなるが、統廃合にあたっては、当該施設を利用する住民の理解を得ることが重要である。

事例についてみると、市民センターの統廃合が避けて通れないことはA課長も承知している。問題は、住民の理解を得ながら進める必要がある点である。A課長は、市民センターの稼働状況や利用者の意見など具体的なデータに基づいて、B課長に対して、行政改革課の考えているスケジュールは早すぎる旨を説明し、現実的なスケジュールを行政改革計画に記載するよう説得するべきである。

❶　誤り。来年10月の統廃合は困難との見通しをもっている以上、計画策定より前に、B課長と調整しなくてはならない。
❷　誤り。強く主張するだけでは、市の財政見通しなどの根拠をもっているB課長を説得することはできない。
❸　誤り。未だ決定されていない来年10月の統廃合を掲示することは、住民に無用の混乱を生じさせるので不適当である。
❹　妥当である。B課長は現場の状況には詳しくないので、その点を根拠にして説得するべきである。
❺　誤り。議員に依頼してB課長に圧力をかけた場合、B課長が態度を硬化させるだけでなく、市議会を巻き込んで混乱が生じることとなる。

【正解　❹】

設問 6 　事業の管理
支援者が同席する場での議員からの依頼

Q

　Aは、X市の文化振興課長であり、今まで、議会対応の多い部署を経験していた。ある日、料理屋の一室で上司のB部長や同僚の課長数名と暑気払いを催していた。A課長は、手洗いに立ったとき、偶然、面識のあるC議員と廊下で出会った。C議員は、A課長を自分の宴席の部屋に招き、支援者を前にして、「この方の御子息のD君が、X市の外郭団体のY公益財団法人の採用試験を受けようとしている。A課長からも、一つよろしく伝えておいてほしい」と言った。Y公益財団法人は市が出資して設立した団体であり、文化振興課が所管していた。また、Y公益財団法人の採用試験は面接によって行われ、A課長は面接官の一人であった。この場合、A課長の対応として最も妥当なものは、次のうちどれか。

A

❶　C議員の依頼を受けることはできない旨を明確に伝えたうえ、自分の宴席の部屋に戻り、B部長に状況を報告する。

❷　その場では、採用試験の一般論を述べるにとどめ、自分の宴席の部屋に戻り、B部長に状況を説明する。

❸　C議員の依頼を承諾したうえ、自分の宴席に戻り、B部長に状況を報告する。

❹　C議員の依頼を受けることはできない旨を明確に伝えたうえ、後日、Y公益財団法人の採用面接でD氏を不合格にする。

❺　公平な採用試験を実施しても、D氏が合格した場合はC議員からの働きかけを疑われる可能性があるため、面接官を辞退する。

解説

　自治体が出資している公益財団法人は、当該自治体の政策を推進することが期待されており、言うまでもなく出資金は税金によって賄われている。したがって、その運営については、透明性が確保されていなければならない。つまり、事業の内容、人事、財務等について、情報公開が強く求められる。したがって、不透明な運営を行い、不正などが発覚した場合は、住民から強い非難を受けることとなる。

　事例についてみると、C議員は、D氏を特別にY公益財団法人に採用させるようA課長に依頼している。しかも、A課長はY公益財団法人の採用試験の面接官を務めている。結論としては、A課長は、D氏に便宜を図って合格させるようなことをしてはならない。しかし、A課長がその場で依頼を断れば、支援者の前でC議員は立場を失ってしまう。A課長としては、特定個人に関する明確な言質を与えずにその場を辞して、B部長にC議員とのやりとりを報告するのが妥当である。なお、当然のことながら、面接において、D氏が合格水準を超える能力があると判断されれば、採用することに差支えはない。

❶　誤り。理屈としては正しいが、C議員との関係を著しく損ねる可能性が高いので不適当である。

❷　妥当である。C議員の立場を失わせることのないように振る舞い、B部長に報告のうえ、後日の面接は厳正に行えばよい。

❸　誤り。依頼を承諾した場合、D氏を採用せざるを得なくなり、A課長は不正な採用に加担したことになる。

❹　誤り。❶と同様に誤り。また、D氏の能力が採用水準を超えていれば、採用することは可能である。

❺　誤り。C議員からの働きかけがあっても、公平な採用試験を実施すれば問題はないので、面接官を辞退する必要はない。

【正解　❷】

設問 **7** 事業の管理
議員から情報提供を求められたときの対応

　Aは、市の児童課長である。児童課では、市内の工場跡地を買収して保育園を建設しようとしており、現在、土壌汚染の調査を進めている。また、市長は、市議会において、調査結果が判明したときは速やかに公表すると答弁している。ある日、土壌汚染の調査を委託している会社から、その結果が児童課に届けられた。それは、すべての検査項目で基準値を下回っており、保育園の建設には問題がないというものであった。A課長が、上司のB部長に調査結果を報告してプレス発表の段取りを相談しようと考えていたところ、市議会のC議員から電話が入り、調査結果が出ているなら知らせてほしい、とのことであった。C議員は、市長に批判的であり、当該保育園の建設についても強く反対していた。この場合、A課長の対応として最も妥当なものは、次のうちどれか。

❶　C議員に対して、保育園の建設に反対する議員には、調査結果を示すことはできない旨を伝える。
❷　C議員に対して、B部長に相談してから回答する旨を伝え、B部長と対応を相談する。
❸　C議員に対して、今は示すことができない旨を伝え、その後、保育園の建設に賛成している議員に調査結果を伝える。
❹　C議員に対して調査結果を示し、その旨をB部長に説明して、今後の対応を相談する。
❺　C議員に対して、調査結果は市としてプレス発表するので、それまでは何も言えない旨を伝える。

解 説

　自治体においては、首長と議会は対等な関係であり、相互の抑制と調和によって地方自治を運営することとなっている。したがって、執行機関の職員としては、首長の政策に好意的な議員であっても、批判的な議員であっても、異なる態度をとることがあってはならない。また、自治体の事業は、必要な意思決定を経て実施していくものであるから、意思決定を経る前の情報を、職員の勝手な判断で外部へ漏らすようなことは慎むべきである。

　事例についてみると、土壌汚染の調査結果は、保育園の建設の可否に関わる極めて重要な情報である。したがって、市長にまで報告したうえで、然るべき時期に市として公表されるべきものである。C議員が調査結果を教えるよう要求してきているが、市として、正式に公表するまでは教えることはできない。これは、たとえC議員ではなく、保育園建設に好意的な議員から情報提供を求められた場合も同様である。A課長としては、このような点を踏まえ、B部長と相談して、市長への報告やプレス発表の段取りなどを早急に整え、着実に業務を進めるべきである。

❶　誤り。議員の主張によって、情報提供に関する対応を変えることは不適切である。
❷　誤り。Aは課長なのであるから、この程度の議員対応であれば、上司に相談せずに適切に処理できなくてはならない。
❸　誤り。たとえ相手が保育園建設に好意的な議員であっても、市としての正式な公表の前に調査結果を示してはならない。
❹　誤り。❸と同様に、市としての公表の前に示してはならない。
❺　妥当である。市の事業として土壌汚染調査を行っている以上、市の意思決定を経て公表されるまでは、外部に情報提供してはならない。

【正解　❺】

設問 8 事業の管理
第三者委員会の委員が無理な主張をする場合

Q

X市では、次期長期計画を策定するために、学識経験者及び市民からの公募委員をメンバーとする長期計画委員会を設置して、検討を進めてきた。A計画課長は、その所管課長である。11月、パブリックコメントを経て作成された計画案を委員会に諮ったところ、公募委員の一人であるB氏が、「すべての市立小中学校にソーラーパネルを設置する施策が書かれていないのはおかしい」と強い口調で話し始め、委員会は結論をみないまま終了となった。市としては、人口減少に伴い市立小中学校の統廃合を進める必要があることから、当面は設置困難と判断しており、その旨は何回もB氏に説明してきた。次期長期計画は、来年3月発表の予定である。この場合、A課長の対応として最も妥当なものは、次のうちどれか。

A

❶ B氏と面会し、全市立小中学校へのソーラーパネル設置は困難であること、及び長期計画発表の遅延の影響を詳細に説明する。

❷ 次回の長期計画委員会において多数決で計画案を通すべく、B氏以外の委員への事前説明を開始する。

❸ すべての市立小中学校にソーラーパネルを設置するべく、関係部署との調整を開始する。

❹ 早急に長期計画委員会の委員からB氏を解任するよう上司の部長に進言したうえ、B氏にその旨を伝える。

❺ 長期計画には、すべての市立小中学校へのソーラーパネルの設置を明記し、その実施については、来年度、関係部署と調整する。

解説

　自治体の長期計画の策定にあたっては、学識経験者だけでなく市民から公募された委員を構成員とする委員会を設置して、そこでの議論を踏まえて施策の内容を検討することは珍しくない。さらに、一定の素案を作成した段階で、自治体のホームページなどで当該素案を公表して意見を求め、その意見を踏まえて計画案を策定するといったパブリックコメントの手法も数多く取り入れられている。このような手法は、自治体の執行機関からみた場合、大変手間のかかるものであるが、自治体行政への関心を高め、参加の意欲を醸成する観点から、大変意味のあるものである。

　事例についてみると、計画案はパブリックコメントを経て作成されたものである。B氏が主張しているソーラーパネルの論点については、それまでの長期計画委員会でも議論が尽くされていることが想定され、また、パブリックコメントにおいても、B氏と同様の意見は多くなかったと考えられる。さらに、長期計画はX市の行政の根幹をなす計画であり、ソーラーパネル以外にも数多くの施策が盛り込まれている。したがって、計画策定の遅延は市政運営に大きな影響を及ぼす。A課長は、このような点を念頭において、B氏の説得にあたるべきである。

・・・

❶　妥当である。A課長は、B氏に対して、ソーラーパネルの件だけでなく、長期計画の意味やその策定が遅延することの問題点も説明して説得に努めるべきである。

❷　誤り。仮に多数決でB氏の意見を排除してもB氏は納得せず、計画策定のプロセスに係る不満を外部に訴える可能性がある。

❸　誤り。計画案策定の過程で、ソーラーパネル設置の件については市内部では検討済みであり、それを覆すことは困難である。

❹　誤り。委員からB氏を解任した場合、B氏は納得せず、❷と同様の問題が生じる。

❺　誤り。関係部署に断りなくソーラーパネルの件を計画に明記しても、実施の段階でつまずいてしまう。

【正解　❶】

設問 9 事業の管理
職員では対応困難な専門性の高い業務を進める場合

Q

X市の市長は、IT関係のベンチャー企業を立ち上げた経験があり、情報通信業界に明るかった。ある日、情報システム課長のAは、上司のB部長に呼ばれた。B部長はA課長に、「今日開かれた幹部会議で市長から指示があった。最新のICTを市役所に取り入れ、市の業務の進め方を根本から変えることで、市民サービスを飛躍的に充実させてほしいとのことだ。君のところで早速検討を開始してもらいたい」と言った。しかし、A課長は、市役所のシステムについては多少の理解はあるが、最新のICTの知識は皆無に等しく、部下の中にもその方面に詳しい者は思い当たらなかった。この場合、A課長の対応として最も妥当なものは、次のうちどれか。

A

❶ 部下の職員のうち若手を集めて、最新のICTについて早急に調査するよう命じ、X市における活用方法も含めて報告させる。

❷ 自らICTについて最新の知識を得るべく、入手可能なすべての文献やネット上の情報を熟読する。

❸ 課内にプロジェクトチームを設け、文献調査や専門家からのヒアリングを行い、検討するべき内容やスケジュールを整理する。

❹ 課内から希望者を募ってプロジェクトチームを編成し、毎週1回ブレーンストーミングを行いながら、具体的な計画を策定する。

❺ ICTに詳しいコンサルタント会社に調査を委託して、その報告書の内容を計画として取りまとめ、実行に移していく。

解説

　ＩＣＴの急速な進展などを背景として、自治体がより充実した住民サービスを提供しようとするとき、職員がほとんど知見をもたない分野において、事業を展開しなければならない場合がある。管理職が新たな課題に直面し、自分の組織にはその専門知識がないと思われるときは、外部の専門家を上手に活用することが重要である。その際注意しなくてはならないのは、外部の専門家に検討を丸投げしてはならないということである。外部の専門家は自治体の行政については素人である場合がほとんどであるため、丸投げして得られた成果物は、そのままでは自治体の現場では活用できないことが多い。自治体職員は、専門家の知見を活用しながら、主体的に行政サービスの具体的な内容を構築していかなければならない。

　事例についてみると、Ａ課長を含めて最新のＩＣＴについて知見を有する職員はいない。Ａ課長としては、専門家の知見を活用して、市民サービスの向上に資するＩＣＴの活用を検討し、実行に移していくことが重要である。

----

❶　誤り。担当する職員がＩＣＴについて勉強することは重要であるが、素人の職員には限界がある。
❷　誤り。課長だけが文献やネット上の情報を熟読することでは、組織としての業務の進展は期待できない。
❸　妥当である。Ａ課長は、専門家の知見を活用しながら、市民サービスの向上に向けて取組みを進めるべきである。
❹　誤り。ＩＣＴについてほとんど知見をもたない職員の間でブレーンストーミングを繰り返しても、市長の期待に応え得る成果は期待できない。
❺　誤り。コンサルタント会社は自治体の業務については素人の場合が多いので、コンサルタント会社に丸投げするのは不適当である。

【正解　❸】

設問 10 事業の管理
働き方改革の推進

Q

Aは、X市の財政課長である。同課は市の予算の編成や執行管理などを所管しており、3人の主査と6人の主任から構成されている。本年度から、市長の方針として、働き方改革の一環として全庁的に職員のテレワークを推進することが掲げられ、職員ごとにノートパソコンを配備するなど、必要な環境が整えられた。そこで、Aは、課内の5人の主査に対して、課内のすべての職員について、テレワークを実施するためのスケジュールを作成するよう指示した。しかし、一部の古参の主査たちが、部下への指示が細かくできないことなどを理由として、テレワークの実施に強く反対した。この場合、A課長の対応として最も妥当なものは、次のうちどれか。

A

❶ テレワークに賛成している主査と相談しながら、それらの主査とその部下について、テレワークのスケジュールを作成し実施に移す。
❷ テレワークに反対している主査に対し、他の課の事例を参考として業務に支障が生じないテレワークの方法を考えるよう指示をする。
❸ テレワークに反対している主査に対し、テレワークの実施に反対するならば財政課から他の課へ異動させる旨を告げる。
❹ テレワークの実施は将来の課題として、当面は、テレワークの実施を見送ることとする。
❺ 課内の主査を一同に集めて、テレワークの実施について自由に意見を述べてもらい、その結論に従う。

近年のＩＣＴの目覚ましい進展は、ホワイトカラーの業務にも大きな影響を及ぼしており、職場に出勤せずにモバイル端末を用いて業務を行える環境が整備されつつある。これはテレワークと呼ばれており、民間企業のみならず自治体にも普及しつつある。テレワークは、働き方改革に大きく寄与するものであり、介護や育児を抱える職員の能力を有効に活用できるという大きなメリットがある。一方、対面と比べて上司から部下に対する指導に限界が生じることや、服務管理が緩くなる可能性があるなどの課題がある。

　事例についてみると、テレワークに反対している古参の主査は、部下を十分に掌握できなくなることに不安を感じている。そこで、A課長としては、反対する古参の主査に対して、働き方改革に資するテレワークの必要性を説明し、テレワークを前提として支障なく業務を進める方法を考えるよう指示し、強い意志をもって市長の方針であるテレワークを進めるべきである。

....

❶　誤り。テレワークを部分的に進めることは可能かもしれないが、これでは、市長の方針には十分に応えられない。

❷　妥当である。市長の方針である以上、テレワークに反対している古参の主査にテレワークが必要な背景を理解させたうえで、進めていくべきである。

❸　誤り。現実に異動させることができるとは限らず、また、❶と同様の問題が生じる。

❹　誤り。これは問題を先送りするだけであり、テレワークを進めることはできない。

❺　誤り。自らイニシアチブをとらずに、主査たちの議論の結果に従うことは、管理職としての職務を放棄していることに他ならない。

【正解　❷】

設問 11 上司との関係・補佐
市長からの信頼の厚い部長によるパワハラ

Q

　Aは、この4月、土木部用地課長に着任した。用地課は、市の公共事業に必要な用地買収を所管している。A課長は、これまで福祉畑が長く、用地買収の経験がなかったため、戸惑いながら何とか業務をこなしてきた。土木部が長い上司のB部長は、用地課の業務にも通暁するとともに有能との評判が高く、市長からの信任も厚かった。B部長は、A課長の仕事ぶりに強い不満をもっているらしく、A課長は、業務の報告をするたびに、「貴様は、何年、市役所に勤めているのか。お前は税金泥棒だ」といった罵詈雑言を浴びせられている。B部長の業務に関する指摘は的確であり反論の余地がない。この場合、A課長の対応として最も妥当なものは、次のうちどれか。

A

❶　B部長の発言を記録しておき、後日、市及びB部長を被告として損害賠償請求訴訟を提起し、B部長の行動を改めさせる。

❷　B部長の的確な指摘を記録にとどめ、B部長の要求する水準の業務ができるよう努力する。

❸　市長にB部長の状況を説明し、B部長を土木部長のポストから異動させるよう進言する。

❹　ソーシャルネットワーキングサービス（SNS）を用いて、B部長のパワーハラスメントの内容を、毎日、発信する。

❺　B部長のパワーハラスメントについて、人事を所管する総務部長に相談する。

解 説

　厚生労働省の『職場のいじめ・嫌がらせ問題に関する円卓会議ワーキング・グループ報告』（平成24年1月）は、パワーハラスメントを、「同じ職場で働く者に対して、職務上の地位や人間関係などの職場内の優位性を背景に、業務の適正な範囲を超えて、精神的・身体的苦痛を与える又は職場環境を悪化させる行為をいう」と定義している。パワーハラスメントによって、職員が心身に不調を来した場合、業務の遂行に悪影響を及ぼし、最終的には住民サービスの低下へとつながることとなる。したがって、自治体におけるパワーハラスメントは、根絶しなければならない。

　事例についてみると、B部長の行為は、A課長への指摘の内容は正しいとしても、明らかにパワーハラスメントである。たとえ、市長の信任が厚いとしても、B部長の振る舞いは正されなければならない。A課長としては、自分の問題として捉えるだけではなく、このままB部長の行動を放置すれば住民サービスの低下につながりかねないとの認識をもって、組織としてB部長のパワーハラスメントをやめさせる手立てを講じるべきである。

❶　誤り。A課長個人の問題への対応としては、このような手段もあり得るが、組織として、B部長のパワーハラスメントに対応しているとは言えない。

❷　誤り。B部長の的確な指示に従うことはよいが、パワーハラスメントを放置するべきではない。

❸　誤り。B部長を信頼している市長に直接訴えても効果は期待できない。また、働きかける相手は市長ではなく、人事所管部署が適当である。

❹　誤り。SNSで情報を発信しても、B部長が気づくとは限らず、また、仮に気づいても無視されればそれまでである。

❺　妥当である。Bが部長という要職にあることを考えれば、直接、総務部長に相談して組織的な対応を進めるべきである。

【正解　❺】

設問 12 上司との関係・補佐
部長が自分を飛ばして係長に指示する場合

Q

　Aは、X市のまちづくり課長である。A課長は、商工畑の業務に長く従事しており、まちづくりの経験はほとんどなかった。一方、上司のB部長、部下のC係長は、まちづくりの経験が長く、過去にも同じ職場で上司と部下の関係であったこともある。そのため、B部長は、A課長を飛ばしてC係長に指示を出すことが多い。A課長がまちづくり課長に着任してから半年が経過しているが、最近、C係長は、A課長の指示をあまり聞かなくなっており、他の係長も、A課長の指示よりもC係長の意見を重視するようになっている。この場合、A課長の対応として最も妥当なものは、次のうちどれか。

A

❶　B部長に対して、C係長に対して直接指示をするのを改め、自分に対して指示を出すよう依頼する。

❷　B部長に対して、指示を出すときは、C係長の同席のもとで自分に対して指示を出すよう依頼する。

❸　C係長の知識と経験を活用するため、C係長に対してB部長からの指示を報告するよう指示する。

❹　C係長を含むすべての係長を集めて、B部長からの指示を直接受けないように指示する。

❺　B部長がC係長に出した指示は無視して、自らの判断でC係長に対して指示を出す。

組織原則の一つに「命令一元性の原則」がある。これは、命令は一人の上司から一元的に行われなくてはならない、というものである。つまり、一人の部下に対して複数の上司から命令が出されてはならず、また、上司は、自分の直属の部下を飛ばしてさらにその部下に命令を出してはならない。この原則を無視すると、部下は、どの命令に従うかが分かりにくくなり、組織としての業務遂行に支障を来すおそれがある。ただし、この原則は機械的に当てはめることはできず、災害対応など緊急の場合は、この原則に囚われないことが必要な場合もある。その場合は、事後的に関係者に事情を説明して情報の共有を図るなど、必要な措置をとるべきである。

事例についてみると、B部長の行動は、命令一元性の原則に反している。B部長は、まちづくりに詳しいC係長を頼りにしているが、この状態が続くと、まちづくり課全体のマネジメントに悪影響が生じる可能性が高い。A課長としては、B部長の理解を得る方法で、自分に指示を出してもらうよう依頼するべきである。

❶ 誤り。理屈としては正しいが、C係長の経験や知識を頼りにしているB部長を説得するのは難しい。

❷ 妥当である。A課長の経験不足に対するB部長の不安を取り除きながら、命令はA課長が受けるようにするべきである。

❸ 誤り。B部長がC係長に対して指示を出す状況は変わらないので、問題は解決されない。

❹ 誤り。B部長は係長の上司であるので命令を発することが可能であり、係長はそれを拒むことはできない。

❺ 誤り。C係長は二人の上司から命令を受けることとなり、その結果、業務に支障が生じる可能性がある。

【正解 ❷】

設問 13 上司との関係・補佐
定年間際でやる気のない所長

Q

　本年4月、Aは、市民センターの業務課長として着任した。市民センターは、コンサートホール、展示施設、図書館などを備えている。近年、市民センターには、年末年始も利用したいといった要望が数多く寄せられており、昨年度、市民センターが実施した利用者アンケートも、同様の結果を示していた。そこで、A課長は、職員団体や近隣住民との調整が難航すると予想されたが、今年度から何とかその実現を図ろうとした。しかし、B所長は、「君の考えは分かるが、もう少し様子をみたい」と言って明確な方針を示していない。来年3月に定年を迎えるB所長は、自分の在任中には手をつけないつもりらしい。この場合、A課長の対応として最も妥当なものは、次のうちどれか。

A

❶　本庁の市民センター所管部の部長に利用者の意見を示して、年末年始も市民センターを開館するための相談をする。

❷　本庁の人事部門に市民センターの状況を説明して、B所長を異動させるよう依頼する。

❸　B所長に決断を求めるのは後回しにして、同僚の課長や部下と相談しながら、市民センターを年末年始に開館する調整を進める。

❹　市民センターの利用者に対して改めてアンケートを実施して、年末年始の開館に係るニーズを確認する。

❺　B所長に対して、改めて利用者の意見やアンケートの結果を示して、粘り強く年末年始の開館について決断を仰ぐ。

定年を間際に控えた自治体職員の中には、モラールが低下し、面倒な業務を先送りにしようとするものもみられる。このような現象が生じる背景の一つとして、自治体の人事制度があげられる。つまり、勤務評定を給与に反映することとしている自治体であっても、それは翌年度に実施されるため、定年を迎える年度の勤務評定は当該職員の給与に反映させることができないのである。しかし、税金で給与を支給される自治体職員である以上、そのような態度は許されない。まして、管理職ともなれば尚更である。

　事例についてみると、A課長は、住民ニーズに応えようと積極的に行動しようとしているのに対して、B所長は、職員団体等との困難な調整を避けたまま定年退職しようとしている。A課長の方向性は正しいので、A課長としては、客観的なデータを揃えてB所長を説得する必要がある。その際、予想される困難な調整には自分が矢面に立つことを伝えるなど、B所長の負担を軽減する提案をすることも有効である。

❶　誤り。上司のB所長を飛ばして、いきなり本庁の所管部長に相談することは組織の秩序を乱すことであり、不適当である。
❷　誤り。人事部門としては、この事例の理由だけで、B所長を異動させることは困難である。
❸　誤り。このように進めた場合、最後の段階でB所長が反対する可能性があり、不適当である。
❹　誤り。アンケートは昨年度実施したばかりであり、改めて実施する理由に乏しい。
❺　妥当である。A課長としては、正面からB所長を説得して、年末年始に開館する方向性について了解を得るべきである。

【正解　❺】

設問 14 上司との関係・補佐
議員の言いなりになって無理な指示を出す部長

Aは、X市の文化施設の管理を所管する市民施設課の課長である。同課では、現在、市民センターの改修工事を行っており、概ね8割の改修が終了していた。ある日、A課長は、上司のB部長から、「市議会のC議員から、改修中の市民センターに、パイプオルガンを設置してほしいという依頼を受けた。C議員は、支援者で音楽家のD氏から頼まれているようだ。まだ、改修工事は終わっていないから、必ずパイプオルガンを設置しろ」と命じられた。しかし、市民センターの構造や予算を考えたとき、パイプオルガンの設置は極めて困難である。この場合、A課長の対応として最も妥当なものは、次のうちどれか。

❶ B部長に、市民センターの構造や改修工事の進捗状況などを丁寧に説明し、パイプオルガンの設置は困難である旨を理解してもらう。
❷ 改修工事を一時停止するよう施工業者に指示するとともに、財政部門に改修工事の予算額を増やすよう交渉する。
❸ D氏に面会して、市民センターの構造や予算について丁寧に説明し、C議員への依頼を撤回するよう求める。
❹ C議員に面会して、市民センターの構造や予算について丁寧に説明し、パイプオルガンの設置は困難であることを理解してもらう。
❺ B部長の命令はとりあえず聞いておくにとどめ、改修工事は当初の予定通り進める。

解説

 自治体の議員は、当該自治体の住民の代表者である。したがって、議員が住民の意向を受けて、執行機関に対して依頼をすることは自然なことである。執行機関としては、議員の依頼を誠実に聞き、真摯に対応するべきである。しかし、議員の依頼を実現すると、法令に違反し、または公平性を損なう可能性がある場合は、当該依頼を受けてはならない。このような場合、自治体職員としては、当該議員に対して、依頼を受けられない理由を丁寧に説明して、理解を得るようにするべきである。議員は執行機関に対して、議会における質問、予算案や条例案に対する賛否の意思表示など、様々な権限を有していることから、自治体の管理職としては、議員からの依頼には敏感になるものであるが、先に述べたような原理原則に従って行動するべきである。このことが、最終的には、透明性が確保された健全な自治体運営につながるのである。

 事例についてみると、C議員の依頼は違法ではないものの、D氏の意見だけでパイプオルガンを設置することは合理性に欠けている。一方、B部長は、C議員の依頼に対して冷静な判断ができていない。A課長としては、B部長を説得して、考えを改めてもらう必要がある。このことにより、A課長は、B部長を適切に補佐することになるのである。

❶ 妥当である。改修工事をめぐる状況を説明してパイプオルガンの設置が困難であることを理解してもらうとともに、C議員の依頼を受ける合理的な理由がないことを説明するべきである。
❷ 誤り。C議員の依頼は受けることができないものである。
❸ 誤り。A課長の行動が、D氏からC議員に伝わった場合、C議員とB部長との間でトラブルが発生する可能性がある。
❹ 誤り。C議員は、B部長が了解していると思っている可能性があるので、B部長を説得する前にC議員に接触するのは不適当である。
❺ 誤り。上司の命令を無視することであり、不適当である。

【正解 ❶】

設問 15 上司との関係・補佐
部長と副市長の双方から異なる指示を受けた場合

X市のA課長は、市の基金に属する現金の運用を所管している。X市の基金残高は10億円であり、比較的長期の運用が可能である。A課長の上司のB部長は、基金の運用について、「国債の購入を中心に、安全性を第一に運用するように」と指示を出していた。一方、市長は、かつて証券会社に勤務した経験があり、日ごろから基金の効率的運用を主張していた。ある日、C副市長が、A課長に対して、「社債や外貨預金など、利回りのよい金融商品を基金残高の8割まで取り入れるように」と指示を出してきた。この場合、A課長の対応として最も妥当なものは、次のうちどれか。

❶ C副市長の指示に従い、直ちに国債を売却し、社債の購入及び外貨預金の設定を部下に指示する。

❷ C副市長に対し、B部長からの指示及び社債や外貨預金のリスクを説明したうえ、今後の対応を相談する。

❸ B部長に対してC副市長からの指示を説明し、C副市長への今後の対応を相談する。

❹ 市長に対して、社債や外貨預金による基金の運用の可否について確認する。

❺ C副市長の指示は聞きおいて、直属の上司であるB部長の指示に従って基金の運用を継続する。

「命令一元性の原則」によれば、上司は直属の部下を飛ばしてさらに下位の部下に直接指示を出してはならない。しかし、実際の職場ではそのようなことが行われる場合もある。そのような指示を受けた場合、その指示について直属の上司に説明し、情報の共有化を図る必要がある。この手続きを怠ると、組織として一体的な対応が困難になる。特に、指示を出した上司と直属の上司の考えが異なる場合は、組織としての方針を統一するため、指示を出した上司と直属の上司との間で調整が行われなければならない。

　事例についてみると、明らかにC副市長とB部長との指示は異なるとともに、C副市長の指示の背景には市長からの指示があるとも推測される。A課長としては、早急にB部長にC副市長からの指示を報告し、C副市長への対応を相談するべきである。

　なお、基金に属する現金の運用については、「最も確実かつ有利な方法」により行わなければならない（地方自治法241条7項、235条の4第1項）。この観点からは、利回りを求めて、クレジットリスクを伴う社債や為替リスクを伴う外貨預金を取り入れることについては、慎重に検討される必要がある。

・・

❶　誤り。B部長の指示を無視することになるとともに、B部長の指示とC副市長の指示の齟齬は解消されないので不適当である。

❷　誤り。まず、直属の上司であるB部長への報告を行うべきである。C副市長への説明はB部長が行うべきである。

❸　妥当である。A課長は、B部長に相談して、C副市長への対応方針について共通認識を形成するべきである。

❹　誤り。B部長、C副市長を飛ばして、いきなり市長に確認することは、組織秩序を乱すものである。

❺　誤り。C副市長からの指示を無視するものであり、不適当である。

【正解　❸】

設問 16 上司との関係・補佐
緊急対応で上司の知見が不足する場合

　Aは、X市の健康福祉部健康推進課の課長であり、保健医療行政に長く携わってきた。本年10月ごろから、世界的に新型インフルエンザが拡大しており、日本においても、12月ごろから感染者が急増してきた。そのような中、市長は、新型インフルエンザに感染した市民が確実に入院できるX市モデルを2週間以内に構築すると宣言した。その直後、A課長は上司のB健康福祉部長に呼ばれ、「市長が宣言したX市モデルを早急に構築してほしい。私は、高齢者福祉行政の経験が長くてこの分野は素人なので、君に任せる」と言われた。この場合、A課長の対応として最も妥当なものは、次のうちどれか。

---

❶ 県や保健所、地元の医師会などと調整を進め、適宜、直接市長に報告しながら、X市モデルを構築していく。

❷ 県や保健所、医師会などと調整を進めるとともに、随時B部長に進捗状況を丁寧に説明しながら、X市モデルを構築していく。

❸ 感染症の有識者を集めて、B部長に感染症対策の基礎から説明をしてもらい、そのうえで、X市モデルの構築に取組む。

❹ 短期間でX市モデルを構築するため、B部長を介さず市長へ直接報告することについてB部長の了解を得て、直ちに業務を進める。

❺ 副市長に面会し、X市モデルの構築にはB部長は適任ではないので、別の部長をX市モデルの担当部長にするよう依頼する。

解 説

　新型インフルエンザなどの新興感染症の拡大が予想され、患者に十分な医療が提供できないことが懸念される場合には、行政の対応は一刻の猶予も許されない。国や自治体は、医療機関や医師会等と連携しながら、感染者を発見するための検査体制の整備、民間の事業活動や人流の抑制、ワクチンの調達及びその接種の推進などに全力を挙げることが求められる。しかし、このような感染症の拡大は、頻繁に発生するものではないため、自治体では感染症対策に詳しい職員が確保されているとは限らない。そのような状況下でも、自治体は組織の総力を挙げて、住民を感染症から守らなくてはならない。そのためには、一部の事業は実施を当面見送り、職員のマンパワーを感染症対策に集中させることも必要である。

　事例についてみると、B部長は、2週間以内にX市モデルを構築することを市長から命じられているが、保健医療行政の経験に乏しい。A課長としては、早急に関係機関と調整を進めるとともに、自らの経験を活かしてB部長を丁寧に補佐しながらモデル構築を進めるべきである。

❶　誤り。たとえ、B部長が「君に任せる」と言ったとしても、指揮命令系統を無視するような業務の進め方をするべきではない。
❷　妥当である。A課長は、B部長を十分に補佐して、B部長から市長に必要な報告をしてもらいながら、業務を進めるべきである。
❸　誤り。市長からの指示は、2週間以内にX市モデルを構築せよということであるから、この対応では間に合わない。
❹　誤り。組織として取組む以上、❶と同様に職制としての指揮命令系統を乱すべきではない。
❺　誤り。このような提案は、一課長が行えるものではなく、あくまでB部長のもとで業務を進める方法を考えるべきである。

【正解　❷】

設問 17 上司との関係・補佐
事業に通暁しており細かすぎる指示を出す部長

Aは、X市の区画整理課長である。A課長の上司であるB部長は、区画整理事業に長年携わっており、制度の仕組みはもちろん、X市内の区画整理事業の状況も知悉している。一方、A課長は、区画整理事業については一通りの知識はあったが、公園整備に長年従事してきたため、実務経験には乏しかった。このため、B部長は、A課長が頼りなくみえるらしく、本来であればA課長が判断するべきことまで、区画整理課の職員の前でA課長に頻繁に指示を出してくる。この結果、その様子をみていたA課長の部下たちは、A課長の指示を軽んじるようになり始めていた。この場合、A課長の対応として最も妥当なものは、次のうちどれか。

❶ B部長に対して、課長が判断するべきことについては自分が判断する旨を明確に伝え、細かい指示を出さないよう依頼する。

❷ B部長に対して、業務の報告を定期的に行うのでそのときに指示を出してもらうよう依頼する。

❸ 部下に対して、課長が判断するべきことは自分が判断するので、自分に対するB部長の指示は気にしないよう伝える。

❹ B部長に対して、区画整理課の職員に対して直接に指示を出すよう依頼する。

❺ 区画整理事業のうち公園整備の部分はB部長の指示を無視し、それ以外の部分についてはB部長の指示に従う。

解 説

　自治体の管理職は、2～3年のスパンで異動することが多いが、必ずしも経験豊富な部署に異動するとは限らない。特に、管理職の場合、一般職員と比べてポスト数が限られることもあり、未経験の分野を所管しなければならないことも珍しくない。その場合の対応方法としては、まず、自らの職務分野について勉強しなければならない。その方法は、前任者の残した書類の熟読、部下からのレクチャー、現地視察などであるが、特に管理職が把握しなければならないのは、首長や議員がどのように関わっているかである。当然、過去の議会答弁は真っ先に目を通さなければならない。このように努力を重ねても、長年その業務に携わっている上司がいる場合には、直ちに、上司を上回る見識を身につけることは難しい。そのような場合、自ら努力しながら、上司の指導を乞うことも必要である。

　事例についてみると、B部長としては、A課長が誤った判断をしないように細かく指示を出しているが、区画整理課の組織運営上は望ましくない結果をもたらしている。B部長には、区画整理課の職員の前でA課長に指示を出すことを慎んでもらう必要がある。そのためには、A課長は、B部長が不安を抱かない方法を提案するべきである。

❶　誤り。B部長は、A課長を頼りないと思っているので、依頼しても応じない可能性が高い。

❷　妥当である。B部長は、自分の目が届かないところでA課長が誤った判断をすることを懸念しているので、その懸念を払拭することが重要である。

❸　誤り。職員の前で出されるB部長の指示が正しいものである以上、職員はB部長の指示を重視する。

❹　誤り。課長の業務を放棄しているのに等しく、不適当である。

❺　誤り。区画整理課の課長としての責任を果たしているとは言えず不適当である。

【正解　❷】

設問 **18** 上司との関係・補佐
自分の功績のために無理な指示を出す部長

　A課長は、X市のまちづくり課長である。市長は、市内のP駅周辺の整備を公約に掲げており、当選後、この3年間で、P駅北側の駅前広場を完成させ、現在、駅の南側に備蓄倉庫を備えた防災公園を整備しつつあった。市長の任期は残り1年である。ある日、A課長は上司のB部長に呼ばれ、「市長は再選をお考えのようだ。今年度内に必ずP駅南口の防災公園を完成させろ」と言われた。B部長には、市長の歓心を買うために指示を出している様子がみてとれた。防災公園の整備予定地の中には、用地買収に応じない地権者が5名おり、年度内に公園を完成させることは困難であった。この場合、A課長の対応として最も妥当なものは、次のうちどれか。

❶　B部長に対して、工事の進捗状況や地権者との折衝状況を説明し、防災公園の年度内の完成が困難であることを理解してもらう。

❷　5名の地権者の敷地以外の部分の工事を年度内に完了させるよう、まちづくり課の職員に指示を出す。

❸　B部長の命令に従い、まちづくり課の職員に対して、5名の地権者の土地について直ちに収用手続きに入るよう指示する。

❹　B部長に対して、市長の歓心を買うために無理な命令を出さないように説得する。

❺　B部長の命令は聞くだけにとどめ、今まで通りのペースで防災公園の整備を継続する。

解説

　首長は4年の任期の間に、選挙のときに掲げた公約を実現しようとする。自治体職員が全力を挙げて、その実現に取組むのは当然である。実際に事業を進めていく過程では、いくつもの課題が現れてくるのが普通であり、それは、財政上の制約、事業に反対する住民や議員への対応、法令による制約など様々である。このような課題を一つひとつ解決していくためには、管理職は、リーダーシップを発揮するとともに、部下の士気を高め、組織を挙げて業務に取組む必要がある。しかし、首長と自治体職員が一丸となって取組んでも、首長の任期中に、公約を全て実現できるとは限らない。任期中の実現にこだわって、強引に事業を推進した場合、新たな問題を引き起こす可能性もある。自治体の管理職は、その点を見極めつつ、首長との意思疎通を図りながら、適切に業務を進めなければならない。もし、首長の任期内に事業を完成させることが困難と判断されたときは、十分な裏付けを準備して首長の判断を仰ぐべきである。

　事例についてみると、B部長は、自らに対する市長の評価を優先し、強引に防災公園の整備を進めようとしている。しかし、用地買収を強行した場合、住民はさらに態度を硬化させ、かえって、防災公園の整備が遅れる可能性がある。A課長としては、市長に説明できるだけの十分な裏付けをB部長に示しながら、強引な事業推進をやめるべきである。

----

❶　妥当である。B部長の意図は別として、客観的な事実をもとにB部長に説明を行い、年度内に実現可能な内容を検討するべきである。
❷　誤り。年度内に防災公園を完成させることはできず、さらに、地権者との関係を悪化させる可能性がある。
❸　誤り。今までの地権者との折衝状況を確認することなく、いきなり収用手続きに入った場合、地権者との関係を悪化させ、かえって事業が進まなくなる可能性が高い。
❹　誤り。B部長の本心を指摘しても、B部長が否定すればそれまでである。
❺　誤り。これは上司の命令を無視することであり、不適切である。

【正解　❶】

設問 19　上司との関係・補佐
議員対応を回避する事務局長

Q

　Aは、X市立病院の医事課長である。ある日、Aの上司であるB事務局長のもとにC議員から電話が入り、「市立病院と地域の開業医との連携について、そちらの院長と意見交換をしたい」という要求があった。C議員は、市立病院が立地している地域を地盤とするとともに、医師として個人病院を経営していた。近年、市立病院を改築してから、患者が市立病院に奪われているという不満が、市内の開業医から市へ寄せられていた。院長は、議員対応であることから、B事務局長の同席を望んだが、B事務局長はA課長に対して、「議員は、院長を指名しているのだから私が同席する必要はない。事務局として、君が同席しなさい」と言った。この場合、A課長の対応として最も妥当なものは、次のうちどれか。

A

❶　B事務局長の指示に従い、院長とC議員の意見交換に同席し、その終了後、B事務局長に状況を説明する。

❷　B事務局長に対して、C議員は院長との意見交換を求めていることから、事務局は同席しないようにすることを進言する。

❸　C議員と面会して、院長との意見交換を求める趣旨を詳細に聞き出し、B事務局長にその内容を伝えて、対応を検討する。

❹　B事務局長に対して、市立病院に対する開業医の意見を丁寧に説明し、自分だけでなくB事務局長の同席を求める。

❺　院長に対して、C議員と意見交換をする際にB事務局長の同席が不要である理由を丁寧に説明する。

解説

　公立病院の組織は、医師である院長をトップとし、そのもとに事務職で構成される事務局が置かれているのが一般的である。議員から病院に対する要請などがあった場合は、まずは、医師よりは議員との接触に慣れている事務局の管理職が対応することが多い。また、市立病院も自治体組織の一部である以上、住民の代表者である議員が、その運営について意見を述べ、また、住民からの要望を病院へ伝えるのは当然である。事務局としては、議員から病院への要望があった場合には、法令に反するようなものでない限り、誠実に対応しなければならない。一方、総合病院と開業医との役割分担としては、患者はまず身近な開業医を受診し、当該医師が総合病院での受診が適当と認めた場合に、総合病院を受診することが望ましい。このような役割分担によって、総合病院はその医療資源を有効に活用することができるとともに、開業医の経営も安定したものとなる。しかし、総合病院に患者が集中する傾向があるため、総合病院を建設しようとすると、その周囲の開業医が反対することが多いのも事実である。

　事例についてみると、医師でもあるC議員は、市内の開業医の意向を受けて院長との意見交換を求めている可能性が高く、その内容は、市立病院のあり方に関わる重要な課題である。したがって、医師である院長とB事務局長の両者で対応する必要がある。

....

❶　誤り。病院のトップである院長の指示を無視することになり、また、C議員がB事務局長に連絡してきた経緯に照らしても不適切である。
❷　誤り。❶と同様に不適切である。
❸　誤り。C議員はB事務局長に連絡してきたので、いきなりA医事課長がC議員に面会するのは不適切である。
❹　妥当である。B事務局長に、意見交換の要求の背景には重要な課題があることを理解してもらい、事務方トップとして同席してもらうべきである。
❺　誤り。課題の重要性を考えれば、B事務局長の同席は必要である。

【正解　❹】

設問 20 上司との関係・補佐
安請け合いをしてしまう部長

Q

Aは、X市の商工部事業課長である。上司のB商工部長は、商工部が長く、関係団体の幹部とも親しい。11月のある日、A課長は、B部長に呼ばれ、「先日、商工会議所のC会長が訪れて、中小企業が作った試作品の展示会を開催してほしいという依頼があったので了解した。事業課は、予算が潤沢だから何とかしろ」と言われた。C会長は、市長や議員と親しく、市政にも影響力をもっている。しかし、本年5月、C会長からの依頼を受けたB部長が、商店街への補助金を増額したため、既に予算の余裕はなくなっていた。また、今年度の後半はイベントが重なっており、職員のマンパワーの点でも、展示会の開催は困難であった。この場合、A課長の対応として最も妥当なものは、次のうちどれか。

A

❶ 事業課の予算の増額及び職員の増員について、それぞれ、市の財政部門及び人事部門に要求する。

❷ 市の財政部門に事業課の予算の増額を要求するとともに、事業課の職員に総力を挙げて展示会を開催するよう指示する。

❸ B部長に対して事業課の予算や業務の状況を詳しく説明し、C会長の依頼について商工部としての対応を相談する。

❹ C会長に面会し、事業課の予算及び業務の状況を説明し、今年度は展示会の開催が困難であることを理解してもらう。

❺ B部長に対して事業課の予算や業務の状況を詳しく説明し、C会長に展示会の開催が困難であることを伝えてもらう。

地域には様々な業界団体が存在し、業界の発展のために活動している。その一環として、自治体の議員への支援や働きかけ、自治体職員への要望などがある。そのような要望について、職員は、誠実に耳を傾けて必要な対応をするべきである。一方、自治体においても、施策を推進していくうえで、業界団体の協力を得ることは有効である。例えば、業界団体の窓口を通じて団体の会員に自治体の施策を周知し、また、団体に施策の実施の一部を担ってもらうこともあり得る。自治体が業界団体と良好な関係を維持するためには、職員は、業界団体と一定の距離を保ちながら、行政の公平性を損なわないようにしなければならない。しかし、業界団体の役員の中には、首長や議員を通じて行政に影響力をもつものもいる。そのような人物との調整は、管理職の重要な業務である。その際、留意するべき点は、原理原則を踏まえつつ柔軟に対応することである。

事例についてみると、C会長の依頼には無理があるが、無下に謝絶した場合、市長を通じて話を上から落としてくる可能性がある。そのような事態を招かないよう、A課長としては、来年度に展示会を開催することで納得してもらうなどの案を示してB部長を補佐しつつ、対応方針を検討するべきである。

❶ 誤り。まずは、商工部や事業課の中で予算や人員の対応を検討するべきである。
❷ 誤り。❶と同様の理由で不適当であるとともに、事業課の職員は納得しない可能性が高い。
❸ 妥当である。C会長の市政への影響力を考えると、いきなり謝絶するのではなく、対応方針をB部長に相談するべきである。
❹ 誤り。B部長に無断でC会長に面会するべきではない。また、C会長の影響力を考えれば、いきなり謝絶するのは危険である。
❺ 誤り。B部長はC会長に了解しているので、それをそのまま撤回するよう求めてもB部長は簡単には聞き入れない。

【正解 ❸】

COLUMN

首長の方針を具体化するのは課長

　自治体の首長は、原則として4年ごとに選挙によって選出される。このため、首長が交代した途端、その自治体の運営方針が大きく変更されることがある。例えば、長年続いてきた事業が突然中止されるとともに、過去に例をみないまったく新しい事業が開始されるといったことである。このような場合、首長の定めた方針を現場で円滑に具体化していくことが、課長の役割である。例えば、既存の事業を中止するのであれば、そのために不利益を被る住民へのフォローを十分に行う必要がある。また、新規事業を立ち上げるのであれば、運用段階で躓くことのないしっかりした制度を構築するとともに、利害関係者との調整に汗をかかなければならない。さらに、大きな変化に戸惑う部下をまとめて、士気の向上を図ることも必要である。このように、課長の職務には、多くの困難が伴うことがあるが、それを乗り越えて首長の方針を実現したときは、その喜びは格別である。

2章

職場の管理
　課題がある職場の管理
　特徴のある職員がいる職場の管理
職員の指導・育成

設問 21 課題がある職場の管理
多忙なため係間の連絡が不十分な職場の管理

　Aが課長を務める建設課は、管理係、契約係、施設整備係などで構成され、主に市内の公共施設の整備及び管理を担っている。業務量が変わらないにもかかわらず職員数の削減が進んだため、職員は負担が重くなり、日々の職務に追われている。

　先日、コミュニティセンターの改修工事について、施設整備係が設計を終了しているにもかかわらず、契約業務を担当する契約係に、その情報を伝えておらず、工事業者を選定する指名選定委員会に諮る案件から漏れる事態が発生した。担当者が自分の業務を完遂させたことで、仕事は終わったと安心してしまったようである。A課長が漏れに気づき、大事には至らなかったが、一歩間違えれば、完成が遅れ市民生活に影響が出てしまうところであった。A課長は、今後このような事態を生じさせないためにどのように対応するべきか。

・・

A

❶　係間にある情報共有を拒むみえない壁をなくすため、係制を廃止する組織改正を行う。

❷　係長と個別に課長自身がヒアリングする機会を定例化し、問題点の発見に努める。

❸　職員削減による過大な業務負担を解消するため、人事当局に職員定数の増員を要請する。

❹　職員の契約事務に関する知識不足を解消するため、担当職員に、契約事務研修を受講させる。

❺　各係における業務の進捗状況を課全体で共有するため、進行管理会議を定例化する。

解説

　職員が日々の職務に追われ自らの業務に忙殺されると、係を越えて共有されるべき情報が組織内にとどまってしまい、事業の引き継ぎミスなどが起こってしまうリスクが高まる。したがって、多忙な職場ほど、係間の情報共有をシステマティックに行える仕組みを整えておく必要がある。また、課長だけではなく、課全体で事業の進捗状況を確認できる機会を設けることは、事業を計画通りに進められるだけでなく、事務ミスを未然に防ぐうえでも有効である。

　事例では、建設課が所管する工事が計画通りに終了しない事態が生じるところであった。これについては、単に担当者の失念によるミスと捉えるのではなく、その原因は、係間で情報共有が不足し、課事業全体の進行管理が不十分であったと考えるべきである。今回は、A課長の気づきによりたまたま大事には至らなかったが、A課長だけに情報を集中させチェックする仕組みでは限界がある。現在の建設課のように余裕がない状況では、担当する職員全員が係の枠を越えて業務の進捗状況を共有できる仕組みを構築しなければならない。

....

❶　誤り。係制を廃止する組織改正を行うよりも、係間で事業の進捗状況を共有する仕組みづくりが大切である。

❷　誤り。この方法では、課長は情報を把握できても、係長間では情報が共有されないので、不十分である。

❸　誤り。職員削減による業務負担の増大もミスの背景にはあるが、情報共有の仕組みを導入すれば改善可能である。

❹　誤り。今回のミスは、職員個人の知識レベルの問題ではなく、情報共有の仕組みに原因がある。

❺　妥当である。課全体として、定例的に業務の進捗状況を共有する仕組みを導入することが重要である。

【正解　❺】

設問 22　課題がある職場の管理
市民からの相談を放置してしまう職場の管理

　A課長が所属する下水道課には、苦情対応等を担うサービス係、下水道管等の設置、維持管理を担う設備係等がある。

　先日、サービス係のB主事は、ある市民から「自宅の浄化槽の調子が悪いので、一度点検に来てほしい」との電話を受け、すぐに設備係に伝えた。設備係のC主事からは、「浄化槽は、設置者に管理義務がある」との回答があり、B主事は、よく意味が分からなかったが、C主事に当該市民の電話番号を教えて、そのまま放置していた。数日後、市民が、直接下水道課の窓口を訪れ、「相談したのに何の音沙汰もない」と抗議してきた。C主事は、設備係の責任範囲をB主事に伝えたので、あとはB主事が当該市民に連絡すると思っていたようである。このような問題が生じてしまう組織において、A課長はどのような対応をとるべきか。

❶　庁内LANを活用したスケジュール管理のための職員週間予定掲示板を立ち上げる。

❷　全職員を集めて今回のトラブルを紹介し、気を引き締めて対応するように注意する。

❸　ミスをしたB主事の上司であるサービス係長に対して、十分な指導を行うように指示する。

❹　係間で行った情報のやりとりと処理状況を記録し、係長がチェックする体制を整える。

❺　各係の事務執行状況や直面する課題を報告する係長会を定期的に開催する。

市民からの相談を受けた職員が、案件を専門に扱う職員につなげただけで安心し、最終的な確認をせずトラブルを招いてしまうことがある。単に職員の不注意によるミスと片づけるのではなく、その背景を踏まえ改善策を講じることが必要である。同じ課でも、係が違い、事務、技術と職種も異なると、意思疎通がうまくいかず思わぬ勘違いが生じることが想定される。トラブルを招かないように、係間で行った情報のやりとりとその処理状況をチェックする仕組みを整える必要がある。

　事例で問われているのは、市民からの相談を放置してしまう事故が起こった職場の管理である。B主事はC主事の言葉の意味を十分に理解しないまま、自らの役割が終わったと判断し、トラブルを招いてしまった。この事態をB主事の勘違い、早合点と個人の資質に原因を求めるのではなく、係が違う職員同士の情報のやりとりの処理方法がルール化されていないことを問題視しなければならない。そのうえで、情報のやりとり、最終結果までチェックする仕組みをつくる必要がある。

・・

❶　誤り。今回のトラブルは、スケジュール管理の問題ではないので、職員週間予定掲示板の開設では解決しない。
❷　誤り。職場全体で情報共有し、最後まで処理するスキームを構築することが必要である。
❸　誤り。B主事に責任の一端はあるが、個人の問題にとどめず、職場全体の課題として対応するべきである。
❹　妥当である。係間で行った情報のやりとりや処理状況の記録だけでなく、チェックする体制まで整えることが重要である。
❺　誤り。係間の連携は重要だが、係長会の定期開催だけでは、今回のトラブルを踏まえた対応としては不十分である。

【正解　❹】

設問 23 課題がある職場の管理
課長の指示が組織全体に浸透しない職場の管理

　Aは、この4月に福祉関係の相談を受ける福祉課の課長級に昇任した。福祉課には、課長代理が1名のほか、相談等にあたる職員10名が在籍している。

　A課長は、着任後、職場において改善するべきと考えた事項を、課長代理を通じて全職員に伝えた。具体的には、「①相談対応時には、飲食物を机に置かない。②退庁するときには自らの机に鍵をかける」という簡単なことであり、職場環境に係る職員の心がけであった。指示をして1か月が過ぎたが、その指示が守られている様子はない。福祉課は現場の声を優先する風土があり、従来から必ずしも上司の指示を守らなくてもいい雰囲気がある。このような状況において、A課長はどのような対応をとるべきか。

❶ 職員への伝え方に問題があったかもしれないので、課長代理に対して、もう一度職員に説明するように命じる。

❷ 強制的にでも、課長の指示を徹底するため、指示を守らない場合には処分を行うことを示唆する。

❸ 指示された内容を理解し、納得させるため、A課長自らが指示の意図等を説明する機会を設ける。

❹ 指示の順守意識の向上を図るため、上司の指示に従う必要性などを学ぶ基礎研修を職員に受講させる。

❺ 現場の声を優先し必ずしも上司の指示を守らない当課の風土を認め、今回の指示が浸透していなくても大目にみる。

市役所には、様々な職場があり、あ・うんの呼吸で仕事を進められる場合もあれば、明確に業務命令の形をとらなければ仕事が進んでいかない場合もある。職場によっては、現場を知らない上司からの業務に直接関係しない職員の心がけ等に関する指示は、職員の納得がなければ改善行動に結びつかないこともある。そのため、業務命令として行ったわけではない指示を職場に浸透させるためには、意図を理解してもらい行動につながるような丁寧な説明が必要である。

　事例で問われているのは、A課長が改善するべき事項の指示を出しても、職員の行動に改善がみられない場合の対応である。職員は、A課長に反発して指示に従っていないのではなく、飲食物の扱いや帰庁時の鍵かけは、職員の心がけに関することなので、必ずしも従うことはないと考えているのである。A課長としては、例えば、「机の上に飲食物が出ていることは、相談者に対して失礼である。真剣に相談している相手の気持ちになって考えるように」というように丁寧に指示の意図を説明し、職員に理解、納得してもらう必要がある。

....

❶　誤り。課長代理がもう一度説明しても、職員が納得しなければ行動は改善されない。

❷　誤り。今回は明確に業務命令の形をとっていないので、職員に対する処分は難しい。

❸　妥当である。指示の意図が伝わり、職員が納得するように、課長自らが改めて丁寧に説明するべきである。

❹　誤り。業務命令の順守は、地方公務員法にも定められていることであり、研修で学ぶほどのことでもない。

❺　誤り。現場の声を尊重するのは構わないが、上司からの指示や注意を守らない風土を認めてはいけない。

【正解　❸】

設問 24 課題がある職場の管理
専門知識が不足した職場の管理

　A課長が所属する市民課は、市役所の市民窓口業務を所管している。

　現在、スマートフォンをはじめITが急速に発展するとともに、行政においてもマイナンバーの活用が始まるなど、工夫次第で新たなサービスを提供できる素地ができている。

　こういった状況を踏まえ、市長からは、A課長に対して、ITを活用してたとえ費用がかかっても、早期に窓口の行政手続きを簡素化するように指示があった。市民課では、ITに詳しい職員がいない中、係長を中心に検討し、コンビニ窓口での住民票の発行や住民税の納付を可能にする案をまとめた。A課長はコンビニ窓口の活用は既に多くの自治体で導入されており、市長が期待したサービス向上策としては不十分なものであると感じた。A課長は、どのような対応をとるべきか。

---

❶　やる気のある数人の職員を選抜し、ITの専門知識を学ぶ外部研修や勉強会に参加させる。

❷　ITの専門知識を有する職員を市民課に配属してもらうように人事当局に要請する。

❸　A課長自らがITの専門知識を習得し、サービス向上策を職員に負担をかけずに企画立案する。

❹　報告があった内容では不十分として、引き続き検討するように係長に指示する。

❺　IT関係のコンサルタント会社に、業務改善に関する調査研究業務を委託する。

課長が住民サービスの向上に資するようなＩＴを活用した業務改善を進めたいと考えても、職員に知識がなくては、早期に具体策を取りまとめることは難しい。ＩＴの知識に乏しい職員は、たとえ課長からの指示であっても実際に何から手をつければいいか分からず、結局はこれまでの取組みの延長程度の改善策しかまとめられない。職員にＩＴの知識を学ばせたうえで、改めて検討を行うこともできるが、知識の習得には時間がかかるので、すぐには結果を出すことはできない。短期間で結果を出すためには、費用はかかるがＩＴに詳しいコンサルタント会社などに委託することも選択肢となる。

　事例についてみると、ＩＴに詳しい職員がいない中で、サービス向上策を検討したが、市長が期待するような水準の改善案をまとめられていない状況である。Ａ課長は市長からの指示なのであまり時間をかけずに結果を出す必要がある。この場合は、費用は必要だが、専門の業者に調査研究を委託して、その報告に基づいて改善案をまとめるのが最善の策と言える。

❶　誤り。職員に専門知識をつけさせたうえで検討する時間的な余裕はない。

❷　誤り。適当な人材がいたとしても、年度の途中で人事異動を行うことは現実的ではない。

❸　誤り。Ａ課長がＩＴの専門知識を習得するためには時間がかかるし、課長が担当となることは望ましくない。

❹　誤り。専門知識がない職員が改めて検討しても、市長が求めるレベルの改善策を導くことはできない。

❺　妥当である。費用はかかるが、短期間で成果をあげるためには専門のコンサルタント会社を利用するのが最善策と言える。

【正解　❺】

設問 25 課題がある職場の管理
超過勤務が常態化している職場の管理

　Aは、庶務係、文化振興係、スポーツ振興係で構成される生活文化課の課長として、4月に着任した。

　庶務係長から、同課の状況を聞いたところ、昨年度の同課の超過勤務は、月間平均で50時間近くにも上っていた。スポーツイベントや、文化発表会等が多数あり、その準備に時間がかかることや、イベント等が休日に行われる場合の、代休がとれないことが原因のようである。また、課長の指示で、職員全員が議会答弁の調整や予算査定の対応のために待機していたとのことであった。職員は、やる気もあり、前向きに業務に取組んでいるが、あまり超過勤務が続くと健康にも影響が出てしまうのではないかとA課長は心配している。このように超過勤務が多い職場において、A課長はどのような対応をとるべきか。

❶　職員の健康管理に万全を期すために、定期的に産業医の面接を受けさせる。
❷　イベントの実施計画の見直しを行い、今年度の事業計画に盛り込まれているスポーツ大会の一部を中止する。
❸　一人あたりの業務量を減らすため、年度途中ではあるが職員の追加配置を人事課に依頼する。
❹　仕事の進め方を見直すこととし、議会待機は管理職以上、予算対応は係長以上の対応とする。
❺　職員の定時退庁を促すため、定時にはチャイムを鳴らし、一定時間経過後は執務室の電気を一斉に消灯する。

解説

　超過勤務が常態化している職場では、職員が疲弊し、メンタルヘルスに支障を来してしまうこともある。そのような職場では、仕事の進め方を見直すことで、効率的な事業執行を目指し、業務時間終了に合わせ帰宅できる状況を生み出すことが望ましい。具体的には、市民生活に与える影響がそれほど大きくない事業を中心に仕事の進め方を見直していく。

　事例における生活文化課では、イベントや大会等の準備に多大な労力がかかり、それらが行われる休日に出勤せざるを得ないこともあるので、超過勤務が多い。A課長としては、市民への影響の大きさを基準にして、工夫することで減らすことができる業務、例えば、議会待機や過剰な人数をかけた予算対応などの見直しを進めていく。一定時間以上の超過勤務を行った職員は産業医の面接を受けなくてはならないが、A課長としては、まずはそのような職員を出さないための対策を考えなくてはならない。また、年間計画にあるイベントは市民に与える影響も大きいので、極力中止のような対応をとるべきではない。

❶　誤り。職員が産業医の面接を受けなくても済むように、仕事の進め方を見直すべきである。

❷　誤り。年度の途中に一部であっても決定済の大会を中止することは、市民に与える影響が大きいので避けるべきである。

❸　誤り。年度途中に職員の追加配置を人事課に依頼したところで、実現する可能性は低い。

❹　妥当である。従来は当然のように行ってきた事務であってもゼロベースで見直すことが必要である。

❺　誤り。チャイムを鳴らしたり、電気の一斉消灯をすることは、帰庁を促す一定の効果はあるが、本質的な解決策にはならない。

【正解　❹】

設問 26　課題がある職場の管理
担当職員が業務改善に消極的な職場の管理

　Aが課長を務める公園課は、X市内の公園の管理や公園を活用した市民イベント等を所管している。市内には、小規模から大規模まで様々な公園がある。

　市民からは、より快適に公園を利用できるように、立地や規模に応じた管理をしてほしいという声がある。これまでは基本的にどの公園も同じ業務を定めた仕様書に沿って、外部業者に管理が委託されてきた。担当職員は、仕様書の変更を行えば業務量が大幅に増加するので、これまで事故なく運営されていることを理由にして見直しを進めようとしない。安全性の確保は、十分な検証を行えば問題ないようだが、仕様の見直しは年度当初には想定されていなかったのは事実である。見直しが必要と考えるようになったA課長は、どのような対応をとるべきか。

---

❶　安全性の検証と仕様書の見直しを行うワーキンググループを課内に立ち上げる。
❷　公園管理を専門に行っているコンサルタント会社に仕様書の作成を委託する。
❸　増加する業務量に見合う職員配置を、年度の途中ではあるが、人事部と交渉する。
❹　負担が増える職員へのインセンティブとして、成果をあげた場合には希望する職場への異動を約束する。
❺　見直しに積極的ではない職員を担当から外し、前向きに取組む職員を新たな担当とする。

解説

　市民の要望に沿った改善は、従来のやり方を変更することになり、担当職員の事務負担が増える場合が多い。そのため、職員は改善できない理由を考えて、自らの負担を増やさないようにする傾向がある。所謂「ことなかれ主義」である。課長としては業務の見直しが必要と判断した場合は、安易に妥協せず、一部の職員に負担を集中させない工夫をしながら、改善に向けて取組んでいかなくてはならない。
　事例では、市民からの要望が強い公園の管理方法の見直しが、担当職員が消極的なために進まない状況で、課長がどのような対応をとるべきかが問われている。担当職員は、管理方法が変更されると安全性に自信がもてないと主張しているが、その背景には、自らの負担増を回避したいという思惑も感じられる。そこで、検討を前に進めるためには、担当職員を説得して作業に着手させるか、説得は諦めて別の職員に担当替えするか、あるいはワーキンググループ（WG）など新たな体制を構築するしかない。負担が増加することは事実なので職員の説得や他の職員への担当替えはハードルが高い。一方、WGは、課全体で協力して取組むことになり、負担は分散される。外部に委託することも考えられるが、その場合予算の裏付けが必要になる。

----

❶　妥当である。A課長の裁量で立ち上げが可能なWGを設置することは、特定職員への過剰負担を防ぐことにもなり有効である。
❷　誤り。専門のコンサルタントの活用は対応策の一つだが、費用がかかるので年度途中に急遽委託することは難しい。
❸　誤り。年度の途中に職員の増員を人事部に認めてもらうことは困難である。
❹　誤り。職員を説得する際に次期の異動をもち出しても、そのような約束を守れるとは限らないので不適当である。
❺　誤り。積極的ではない職員を担当から外しても、担当する職員の負担が増える問題は解決しない。

【正解　❶】

設問 27　課題がある職場の管理
残業が多い状況で、業務を受けざるを得ない職場の管理

　Aが課長を務める企画課は、市の政策の企画立案を担っている。市長からの指示を、法令等の確認、財源の確保、人員の調整などを行ったうえで実施可能な施策にまとめなければならず、職員は毎日のように残業している。

　今回市長からA課長に対して、「待機児童解消に向けた取組みを1か月後に施策としてまとめ、報告してほしい」という指示があった。以前に、A課長は、職員から今年度はこれ以上新たな仕事を引き受けることは難しいと言われたことがあった。待機児童対策としての施策が固まったあと、実際の事業は、児童福祉課が所管するが、施策としてまとめるまでは当課に任せたいというのが市長の考えのようである。A課長は市長からの話なので受けざるを得ないと考えているが、十分な成果をあげるためにどのような対応をとるべきか。

---

❶　何とかもうひと踏ん張りして市長の期待に応えようと、職員を激励し、心を一つにする。

❷　将来事業を所管することになる児童福祉課と協力して取組む体制を構築する。

❸　職員に新たな負担をかけないように、A課長自らが実務担当者となり、単独で検討を進める。

❹　一人あたりの業務量が増加しないように、人事当局に対して、緊急で職員を1名配置するように要求する。

❺　市長に対して、現在の職場の状況を説明して、報告の期限を6か月後まで猶予してもらう。

政策の企画立案を担う部門は、市役所の中で最も多忙な部署の一つである。配属職員は総じて優秀で、無理と思えるような仕事でも何とかこなしているが、過重な負担がかかっているのも事実である。そういった状況を理解したうえで新たな業務を受け入れざるを得ない場合に、課長としては、職員の負担を減らす工夫が重要となってくる。職員の頑張りに頼る精神論では、前向きな職員が揃っている職場なので、その場は乗りきれても、限界を超えた状態はいつまでも続けられず、いずれ破たんしてしまう。新たな業務を引き受ける場合は、他部署との協力体制、人員の増加、十分な期間の確保などを図っていくことが大切である。

　事例で問われているのは、極めて多忙な部署において、新たな業務を行う場合にどのような対応をとるべきか、ということである。職員の余力が乏しい中で新たな業務を引き受けるので、成果をあげるためには、何らかの工夫が必要である。今回は、事業化後の所管が決まっているので、児童福祉課と最初から協力していければ、当課の負担は大幅に軽減されるはずである。年度途中の異動を伴う人員増は実現の可能性が低く、また市長からのオーダーなので、時期を先延ばしするような対応をとるべきではない。

❶　誤り。精神論でその場を乗りきっても、いずれは破たんしてしまうことは目にみえている。
❷　妥当である。最初から事業所管部署と協力できる体制を組むことは、所管課の専門知識も活用できるので有効である。
❸　誤り。職員に負担をかけ過ぎないことは重要だが、Ａ課長一人が担当者となることは現実的ではない。
❹　誤り。人員増加が可能であれば、最も有効な解決策ではあるが、年度途中に人事当局が認める可能性は低い。
❺　誤り。市長からのオーダーなので、報告期限を、6か月後まで猶予してもらうことは避けるべきである。

【正解　❷】

設問 28 課題がある職場の管理
個人情報の取扱意識が低い職場の管理

Q

Aは、福祉健康課の課長である。当課は、市民の生活状況、病歴など、重要な個人情報を多く取り扱っている。

しかし、職員は、「個人情報は厳密に取り扱うべきもの」という意識が低く、個人情報の記載されたファイルを机上に放置したまま退庁したり、また、健康増進イベントの企画を検討する際には、個人の健康状態が分かる資料をイベント受託会社の目に無造作に触れさせたりしている。これまでは幸いなことに、当課では個人情報が外部に漏えいするなどの事故は発生していない。市では個人情報保護条例は制定されているが、職員が個人情報をどのように扱うか詳細を定めた「取扱要綱」はなく、市役所全体でも個人情報の取扱いは厳密とは言えない。このような状況において、A課長は、どのような対応をとるべきか。

A

❶ 職員に対して、個人情報の机上放置やイベントの企画での利用は控えるように注意を促す。
❷ 課内における個人情報の取扱ルールを早急に取りまとめ、職員に遵守することを義務付ける。
❸ 個人情報保護条例の担当課に対して、早急に市全体の「取扱要綱」を策定するように要請する。
❹ 職員に個人情報の取扱意識を向上させるために外部機関が実施する研修を受講させる。
❺ 市役所全体で統一したルールが必要であるので、課内で勝手な取組みをせず全庁的な対応を待つ。

解説

　近時は個人情報保護への関心が高まり、行政機関や企業が漏えい事故等を起こすと、社会から厳しい批判を受けることになる。しかしながら、個人情報の取扱いが大らかだった時代のままに、未だ十分な配慮がなされていない職場が存在するのも事実である。事故を未然に防ぐためには、個人情報の取扱いに対する職員の意識を高めるだけでなく、明確なルールを定めその遵守を義務付ける必要がある。仮に市全体での取扱ルールがない場合はそのまま放置せず職場のルールを策定しておくべきである。

　事例で問われているのは、多くの個人情報を取り扱っているが、それを厳密に扱おうという意識が低い職場での対応である。市全体の実務面での個人情報取扱ルールがないこともあり、当課でもルーズな取扱いがなされてきた。ファイルの机上放置やイベントの企画時の個人情報の利用などが行われているが、おそらくそれ以外の場面でも、同様にルーズな事例があることが予想される。したがって、A課長は、市全体に先立ってでも課内のルールを策定して、その遵守を職員に義務付ける。取扱いに注意する意識を高めることも大切だが、当課ではそれでは不十分なので明確なルール化が必要である。

❶　誤り。不適切な個別の行為への注意は必要だが、それだけでは不十分である。

❷　妥当である。市役所全体のルールがないならば、課内だけでも早急に策定する必要がある。

❸　誤り。担当課に要請することは差支えないが、策定されるまで時間がかかることが予想されるので、まずは課内のルールを策定する。

❹　誤り。研修を受講し、知識を修得させることも大切だが、それだけでは課内にルールとして定着しないため、不十分である。

❺　誤り。たまたま事故が起こっていないだけであって、早急に対処しなければ重大な事故が発生しかねない。

【正解　❷】

設問 29 課題がある職場の管理
コミュニケーションが停滞している職場の管理

Q

　Aは、環境課長である。環境課は、事務系、技術系職員がほぼ同数在籍し、技術系職員の専門分野は多岐にわたり、年齢構成もばらばらである。職員同士で勤務時間中に会話が交わされることは少なく、連れ立って食事などに行くこともない。職員は真面目に職責を果たしているが、職場はいつも重苦しい雰囲気である。

　最近、職員間で意見が対立する案件について、解決に向けた話し合いをする機会を誰も設けようとはせず、事態が長期間にわたって膠着してしまったことがあった。職場が賑やかであることが必ずしも望ましいことではないが、重苦しい雰囲気の中で仕事を続けていることが、組織のスムーズな運営に支障を来す事態が生じた原因の一つではないかと、A課長は考えている。このような状況でA課長はどのような対応をとるべきか。

A

❶　年齢や専門が異なる職員が集まる職場なので、無理に融合を目指すのではなく、大きなトラブルを防ぐことに気を配る。

❷　冗談を言いながら職員の机の周辺を歩き回り、職場の雰囲気を和ませる。

❸　意見が対立し、事態が膠着してしまった場合には、自らが積極的に仲裁に入る。

❹　お互いの仕事を認識し、相互理解を進めるため、全員が顔をそろえる業務報告会を毎月開催する。

❺　日頃のコミュニケーションを自然な形で行うため、課の懇親会を企画する。

専門や年齢が様々な職員が集まる職場では、それぞれの背景が異なり共通の話題が少ないため、日頃のコミュニケーションが希薄になりがちである。やむを得ない面もあるが、業務のスムーズな執行にまで影響を与える事態に至っては、課長としては何らかの対応をとる必要がある。最低限の会話ができる関係を築くために、報告会を設定するなど、顔を合わせて議論ができる機会をつくることが有効である。補助的に懇親会などを活用することも有効な場合がある。

　事例では、年齢や専門が異なる職員で構成される職場において、職員間で良好なコミュニケーションがとれる関係をいかに築いていくかということが問われている。この職場は、雰囲気が重苦しいだけでなく、事業の円滑な執行に支障を来している。そういった状況を打開するため、A課長が業務として半ば強制的に話をする機会をつくることは有効である。お互いの仕事内容を知るための報告会を毎月開催するなど、職員が疑問、質問をぶつけ合う機会を設定する。時間外の懇親会などを活用することも考えられるが、それだけでは不十分である。

....

❶　誤り。既に業務が円滑に進まない事態が起こっているので、現状を打開する取組みが必要である。
❷　誤り。課長が歩き回っても、職員同士のコミュニケーションにつながるわけではなく、逆に業務の妨害になりかねない。
❸　誤り。事態が膠着した場合に、仲裁することは必要だが、そうならないように事前に対処しておく必要がある。
❹　妥当である。報告会で顔を合わせながら、意見をぶつけ合う機会が増えれば、コミュニケーションがとれる関係になる。
❺　誤り。職員が自発的に懇親会を企画することはかまわないが、課長としては勤務時間内での対応を考えるべきである。

【正解　❹】

設問 30 　課題がある職場の管理
協力体制が構築できない職場の管理

Aが課長を務める防災課には、計画係、訓練係、広報係がある。計画係は災害発生時の避難計画等の策定、訓練係は年2回の市民参加型防災訓練など各種訓練の企画・実施、広報係は他の2係が行っている事業の市民への周知、防災ハンドブックの作成等を行っている。

全国で災害発生が相次ぐ中、防災に対する市民の関心は高く、万全の対策を求める要望も多く寄せられ、各係はそれぞれの業務に追われている。このため、それぞれの係の事業は密接に絡んでいるが、現状は自らの業務で手が一杯のため、係間で協力する意識は希薄である。また、お互いの事業内容を知る機会もこれまでほとんどなかった。今年度、新たに避難時の経路や所持品がわかる「避難手帳」の作成を予定しているが、担当する広報係に両係が協力的ではなく、作成に遅れが生じている。このような状況でA課長はどのような対応をとるべきか。

❶ 係間の壁を取り払うため、係制を廃止した新たな体制として、チーム制を導入する。
❷ 「避難手帳」の作成を専門業者に委託し、広報係に代わり両係との調整を任せる。
❸ 係間の情報交換を行うため、新たに3人の係長による情報連絡会を設置する。
❹ 計画係と避難係と広報係の交流を促すため、職員の人事交流を係間で行う。
❺ 所属にとらわれない取組みを行うため、「避難手帳」策定のプロジェクトチームを設置する。

解説

　所管する事業は密接に絡んでいるのに、様々な要因から係間の協力関係が築けていない課は珍しくはない。協力して事業に取組めば、より大きな成果があがるのに、係の壁が邪魔をしてしまうのである。課長としては、自らの指揮命令権のもとにある係同士の問題なので、速やかに対応するべきである。各係長に対して、闇雲に協力するように指示をしても、効果があがらない場合が多い。そのため、協力すればより成果があがる事業に関して、それぞれの係の職員が参加するＰＴ(プロジェクトチーム)を設置し、係の壁を越えて取組む体制を構築する。場合によっては、人事交流や組織改正等も選択肢にはなるが、年度の切れ目などタイミングが合うことなどが条件になる。

　事例で問われているのは、業務多忙のため余裕がない状況が係間に壁を築き、協力関係を構築できない職場の管理である。協力関係の希薄さは構造的な問題であり、Ａ課長が各係長に単に協力するように指示をしても、実効性をあげることは難しい。協力して対処できる体制を整えるために、係横断的なＰＴやＷＧ(ワーキンググループ)を設置するべきである。今回は「避難手帳」を策定するＰＴを設置する。年度内に完成させるためには、体制整備に時間をかけられないことに留意するべきである。

....

❶　誤り。年度の途中にいきなり係制を廃止して、チーム制を敷くことはかえって混乱を招くので現実的ではない。

❷　誤り。専門業者に委託するだけでは、現在の課題を解決することにはならず、２係の協力は得られない。

❸　誤り。定期的に係長会を開催することは望ましいが、協力体制を構築するためには、それだけでは不十分である。

❹　誤り。人事交流は人的結びつきから、一つの起爆剤になるかもしれないが、年度途中で行うべきではない。

❺　妥当である。ＰＴでの共同作業をきっかけに人的結びつきも生まれ、今後の組織運営にプラスに作用することも期待される。

【正解　❺】

設問 31　特徴のある職員がいる職場の管理
経験豊富なベテラン係長がいる職場の管理

A課長は、子育て支援課長に4月に着任した。子育て支援課は、保育関係の業務や児童青少年の健全育成に関わる業務を所管している。A課長は、この分野の経験はなく、多少不安を感じている。

当課には、業務に精通したベテランのB庶務係長がいて、課の様々な課題をてきぱきと解決し、歴代の課長や他の職員から厚い信頼を得てきた。このため、職員は、課長に決裁を求める際に、B係長の了解を得ることで充分と考え、詳しい説明をしてこなかったようである。当課は、B係長の着任以降、組織運営上の大きなトラブルはなく、所管業務に関しても円滑に執行し続けてきた。一方、当課は、保育所の給食業務や学童保育施設の管理を外部委託しており、仕様書次第で受託業者が限られる場合もある。ベテラン係長のいる職場でA課長はどのように対応するべきか。

---

❶ 職場はB係長の手腕により何の問題もなく運営されているので、現状のやり方を踏襲する。

❷ B係長の了解を得ていたとしても、決裁時には職員に対して納得がいくまで決裁内容の説明をさせる。

❸ 課内の業務をより円滑に進めていくため、B係長の決裁権限をこれまで以上に大きくする。

❹ ベテランの庶務係長の下では職員の考える力が伸びないので、B係長を、一旦課内の別のポストに異動させる。

❺ 自分自身の知識不足を補完させるため、決裁を行う際はB係長を可能な限り同席させる。

在職期間が長く経験豊富なベテラン係長は、課長にとっては心強い存在である。様々な場面で相談することは当然だが、頼りにするあまり課長の職責を果たさなくなるようなことはあってはならない。また、職員が、係長に了解をもらっているからといって、課長に十分な報告を行わないことがあってはならない。上司も含め職場の信頼を得ていた係長が、信頼を逆手に不正に走ってしまう事故も過去には起きており、注意が必要である。

　事例では、A課長が、業務に精通するB庶務係長がいる職場をどのように運営していくかが問われている。これまでは、職員がB係長を頼りにし、課長もまたB係長を信頼していたので、報告が十分になくとも決裁を行ってきた。現状は、組織運営も順調で職場に何ら問題は起こっていない。しかし当課は、いくつかの業務を外部委託しており、課長のチェックが常に必要な職場と言える。A課長は、課の事業が現在どのような状況にあるのか把握したうえで適切な判断を下す必要がある。従って、職員には、課長に決裁を求める際には十分な説明をするように指示し、少しでも不明な点は積極的に質問し疑問を解消していく姿勢が求められる。

❶　誤り。B係長と協力して職場運営を行っていくことは構わないが、状況の把握には常に努めるべきである。

❷　妥当である。職員から十分な説明を受け、課長が納得して決裁することが、不正を未然に防ぐことにつながる。

❸　誤り。ベテランの係長の能力を組織運営に最大限活かすことは望ましいが、決裁権限の拡大は必要ない。

❹　誤り。職員の考える力を伸ばすためには、適切なOJTが有効であり、B係長を異動させる必要はない。

❺　誤り。知識不足は、自らの努力により速やかに解消し、自らの判断で決裁を行うことは当然である。

【正解　❷】

設問 32 特徴のある職員がいる職場の管理
完璧主義の係長がいる職場の管理

Q

A課長が所属する行政経営課は、市役所の財政を担うとともに、組織見直し等の行政改革も所管している。B係長は切れ者との評判で、課の四つの係を総括する管理係の係長として、課の業務全般に目を配っている。

B係長は、妥協を許さないタイプで、市長や議会に報告する場合だけでなく、簡単な事業経過を課長に説明する際も、完璧な準備をする。また様々な資料も納得がいかないと何度でも部下に修正を指示している。B係長の指摘は、的を得てはいるが、対応する部下たちには負担が大きく、長時間残業も常態化している。疲弊した部下からは、「本当にそこまで必要なのか？」という声がA課長の耳にまで届いている。このような状況でA課長は、どのような対応をとるべきか。

A

❶ B係長に対して、部下が疲弊している場合には柔軟な対応をとることも大切であると指導する。
❷ B係長に対して、課長への説明資料については手を抜いてもいいので、部下に無理をさせないように指示する。
❸ 人事当局に対して、部下がメンタルヘルスに支障を来す前にB係長を他課へ異動させるように要請する。
❹ 職員に対して、B係長の要求が厳しすぎる場合には、自分に確認をしたうえで、作業に入るように指示する。
❺ 職員に対して、B係長の要求にしっかり応えていくことは、将来非常に役立つと伝え、もう少し頑張るように叱咤激励する。

係長が優秀であることは、課長にとっては心強いことだが、すべての職員が、高い能力をもった係長と同等レベルの業務が遂行できるわけではない。係長が部下に対して過剰な要求をしている場合は、課長が部下の負担を減らす方向で係長を指導する必要がある。その際には係長のモチベーションを下げないように留意し、仕事に対する姿勢を問題にするのではなく、作業する部下の状況を見極めながら業務を進めるように指導する。

　事例における、仕事に対して妥協しないB係長の姿勢は、基本的には望ましい職員像と言える。しかしながら、すべての場面で自分の理想とするレベルを求めているため、部下たちが疲弊している状況は、職場全体の運営を考えると問題である。A課長は、B係長に対して、部下が疲弊している場合には柔軟な対応をとることも大切であると指導する。その際、B係長のモチベーションが落ちないように、仕事に対する姿勢は十分肯定することを忘れないようにしなくてはならない。

❶　妥当である。すべての場面でB係長の要求水準を満たすことは、部下にとって負担が大きすぎることを伝えることが重要である。
❷　誤り。説明資料の作成で手を抜いてもいいと伝えることは、課長の指導方法としては不適切である。
❸　誤り。年度途中にB係長の他課への異動を要請することは、B係長の経歴にも傷をつけかねないので控えるべきである。
❹　誤り。B係長に隠れて、課長に確認をとるやり方は、その事実をB係長が知った場合、大きな不信感を抱かせる結果を招く。
❺　誤り。B係長の高いレベルに対応し続けたために、体調を崩すことがないようにしなくてはならない。

【正解　❶】

設問 33　特徴のある職員がいる職場の管理
退職間近の職員が多い職場の管理

Q

　A課長は、この4月に着任した環境保全課の課長である。環境保全課は、「緑と公園係」と「ごみ対策係」の二つの係で構成され、両係とも退職を間近に控える職員が多数在籍している。

　A課長は、1か月ほど前に、「市民の公園利用率の向上」と「ごみの減量」を実現するための新たな施策の検討を係長に指示した。各係では何度か打合せを行っているようだが、成果物がまとまっている様子はみられない。以前から、両係とも新規施策や困難案件への対応には後向きで、指示があっても着手すらしないこともあったようである。退職間近な職員は、難しい仕事に手をつけたがらず、それに引きずられるように職場全体が前例踏襲をよしとする雰囲気になっている。このような状況で、A課長はどのような対応をとるべきか。

A

❶　人事当局に異動の要請を行い、多数を占める定年前の職員の入れ替えを図る。

❷　成果をあげた職員に定年後の再任用での採用を約束し、職員のモチベーションを高める。

❸　それぞれの係に全員が参加するプロジェクトチームを立ち上げ、体制の見直しを図る。

❹　58歳の職員に対して、具体的な成果物をまとめなければ、懲戒処分を行う可能性に言及し、危機感を与える。

❺　検討状況の報告会を毎週開催し、進行管理を強化することで職場に緊張感を生み出す。

退職間近な職員が多い職場の管理は難しい。退職間近な職員の一部は、残りの在籍期間を無難に過ごすことが最大の目標になっており、多くの場合、新規事業や困難案件に積極的に取組む姿勢に乏しい。そういった職員の影響を受けて職場全体が前例踏襲の雰囲気にならないように、課長は、事業の進捗に関する報告会を短い間隔で開催するなど進行管理を徹底させ、職場全体に緊張感を生み出す工夫が必要である。職員がやらざるを得ない状況を生み出すのである。特定職員を狙い撃ちするような指導は、逆に反発を招き、更にモチベーションが低下する恐れがある。また、定年後の処遇について、正規の手続き以外の場で約束することは避けるべきである。

事例で問われているのは、定年間近の高齢職員が多く在籍する職場の管理である。職場は高齢職員に引きずられ新規施策には及び腰である。A課長は、指示した案件の検討状況の報告を頻繁に行わせることで、職場全体に緊張感を生み出し、職員の背中を押し続けるしかない。年度途中の職員の入れ替えは現実的ではないし、定年後の処遇や懲戒処分に軽々しく言及するべきではない。

❶ 誤り。年度途中に職員の異動を要請したところで、実現する可能性は極めて低い。

❷ 誤り。職員のモチベーションを維持することは重要だが、定年後の処遇は約束するべきではない。

❸ 誤り。プロジェクトチームを立ち上げても、職員の基本姿勢は変わらないので、検討を加速させることは難しい。

❹ 誤り。懲戒処分に言及して、職員の危機感を煽るべきではないし、今回のケースは懲戒処分には該当しない。

❺ 妥当である。検討を加速させるためには、頻繁に報告を求めるなど進行管理を強化し、職員の背中を押し続けなくてはならない。

【正解 ❺】

設問 34 特徴のある職員がいる職場の管理
問題職員がいる職場の管理

A課長は、産業課に異動になった。前任のB課長からは、職場等で問題を起こすC主任について、引継ぎを受けた。C主任は、常に自分は正しいと思っており、自分の考えと違う行動をとる職員や来庁した市民に対して、難癖に近い理屈を振りかざし、恫喝口調で一気に捲し立てることが度々あった。そのため職員は委縮し、職場の雰囲気は暗いという。また、庁舎近くの飲食店で市民と何度もトラブルを起こし、その場合も自分には非がないと考えているため、注意しても改善が見られないとのことである。着任時、上司のD部長からは、C主任が次に大きなトラブルを起こした場合は、服務担当部署に報告し、処分を検討することも視野に入れるようにアドバイスを受けた。この場合、C主任への指導はもとより、これに加えてA課長がとるべき対応として最も妥当なものは、次のうちどれか。

❶ C主任との信頼関係を築くため、B課長から引継ぎを受けた内容をそのままC主任に伝える。
❷ 大きなトラブルを起こし処分を検討する場合に備え、C主任の些細な問題行動であっても記録に残す。
❸ 職場の雰囲気を改善するため、他の職員に対してC主任のことは基本的に無視するように指示する。
❹ C主任に危機感を持たせるため、次に問題行動を起こした場合は、処分を受けることになる旨を伝える。
❺ 市民との間のトラブルを防ぐため、C主任に対して庁舎近くの飲食店の利用を禁止する。

解説

　問題行動を職場にとどまらず、外部においても起こすような職員への指導は、職員自身に自覚がない場合は、効果が上がりづらく、管理職は対応に苦慮することになる。問題行動を起こす職員への指導の基本は、本人にどのような行動が問題なのかしっかり伝え、自覚をさせたうえで、そのような行動をとらないことを約束させ、守らせることである。難しいのは、本人が自らの行動を正当なものと考え、トラブルは相手方に責任があると訴え、非を認めない場合である。本人の納得がないため、同じような行動が繰り返され、それに伴うトラブルも止まらない。管理職としては、指導を続けていくしかないが、効果が見込めない場合は、懲戒や分限処分も選択肢とし、その際に資料となる問題行動の記録を細かく残すなど、服務担当部署と相談しながら先を見据えた対応をしていく必要がある。

　事例についてみると、C主任の問題行動は、職場内外に深刻な事態を生じさせているにもかかわらず、本人にはその自覚がない。そのため、繰り返し指導をしても、行動は改善せれず、指導には限界があると言える。このような状況では、懲戒や分限処分を科すことも視野に、その準備を進めることが必要となる。

❶　誤り。指導の効果を上げるために信頼関係を築くことは重要だが、引継ぎを受けた内容をそのまま伝えることはあってはならない。

❷　妥当である。可能な限り指導は行うが、処分を科すことも視野に、資料となる可能性のある行動記録を残しておくべきである。

❸　誤り。どのような理由があるとしても、職場におけるハラスメントとも採られかねない、C主任を無視するような指示を出すべきではない。

❹　誤り。指導の効果を上げるための工夫は大切だが、処分の可能性に触れることは、徒にC主任を刺激し、新たなトラブルの元になりかねない。

❺　誤り。トラブルの発生を十分に予見できる状況にない限りは、飲食店利用のような通常の行動を制限することはできない。

【正解　❷】

設問 35 職員の指導・育成
仕事を抱えてしまう係長への対応

Q

　Aは、X市の産業振興課の課長である。当課は、商店街係、観光係、産業係で構成されているが、それぞれ業務上のつながりは薄い。

　X市では、郊外に大型ショッピングモールが開設された影響から、いわゆる"シャッター通り商店街"が生まれており、A課長は、その解消に向けた対策を取りまとめるため、商店街係のB係長を担当に指名した。B係長は、経験豊富なスタッフ職の係長で、商店街の会長等からの信頼も厚い。A課長から指示を受けた後、B係長は独自に文献等で調査を続けているが、現時点では何もまとめることができず、一度も報告を行っていない。B係長は一人で取組んでいるが、袋小路に入り込んでしまっているようである。商店街の振興は、市長の関心事でもあり、A課長としては対応策の検討を加速させる必要があると考えている。このような状況で、A課長はどのような対応をとるべきか。

A

❶ B係長の企画立案能力に問題があるため、係の中にいる他のスタッフ係長に交替させる。
❷ 一人で取組むには負担が大きすぎるため、課内の若手職員を部下として新たに配置する。
❸ より多くの職員のアイディアを持ち寄るため、3係によるプロジェクトチームを結成する。
❹ 定期報告の機会を設け、進捗状況を把握したうえで必要なアドバイスを与える。
❺ 現地視察や他自治体の取組状況を調査させるため、積極的に出張をするように指示する。

行政課題を解決する具体策の検討は、まずは担当者を決め、たたき台を作成させることからスタートすることが多い。担当する職員が期待通りの報告をすぐにできれば問題ないが、自分一人で悩み解決策を見出せず袋小路に入り込むなど、想定通りに進まないこともある。課長は、進捗状況を把握し必要なアドバイスを担当者に与えることが必要であり、そのような機会を適切に設けるべきである。成果があがっていないからと言ってすぐに担当を変えても、同じことの繰り返しになる可能性が高い。

　事例で問われているのは、商店街の振興策の検討を指示された係長が、一人で仕事を抱えてしまい、なかなか成果をあげられない状況への対応である。B係長は、経験が豊富で業界にも顔が利くことから、担当としては適任なはずである。自ら文献等で調査を行っているが、解決が困難なテーマだけに、たたき台すら取りまとめることに苦労している。A課長は検討の進捗状況を把握する機会を設けて、場面、場面で的確なアドバイスを行い、検討作業を加速させていくことが大切である。担当を変えるだけでは解決につながらないし、当課のように業務上のつながりが薄い係が集ってプロジェクトチームをつくっても成果は見込めない。

❶　誤り。すぐに成果があがらないからと言って、何のテコ入れもせずに担当を変えることは望ましくない。

❷　誤り。現時点で事務作業が過大になっているわけではないので、部下を増やすことが解決に直結するものではない。

❸　誤り。当課の各係は業務上のつながりが薄いので、プロジェクトチームをつくっても成果は見込めない。

❹　妥当である。情報交換をする機会を可能な限り設け、その場で指示を与え検討の加速化を図っていく。

❺　誤り。現地視察や他自治体の取組状況を調べることは必要だが、その指示だけで検討が進むわけではない。

【正解　❹】

設問 36 職員の指導・育成
優秀だが勤務態度がルーズな係長への対応

Q

　Aが課長を務める行政経営課は、政策企画係、行政改革係、広報係で構成され市役所のトップマネジメント機能を担う課である。残業も厭わず業務遂行に全力を尽くすタイプの職員が多く在籍している。

　B係長は、政策企画係の担当係長で、ライン係長ではないが、若手のC主事とペアを組んで、市長から指示があった特命事項の処理にあたっている。市役所では前例がない難しい案件でも、B係長主導の下、二人で協力してしっかりと成果をあげてきた。しかしながら、B係長は、勤務態度にルーズなところがあり、前日に課の飲み会があった朝の遅刻、当日の朝の急な休暇申請などが度々みられた。以前にA課長がB係長に対して勤務態度に気をつけるように注意をしたこともあったが、その後もあまり変化はみられなかった。このようなB係長に対してA課長は、どのような対応をとるべきか。

A

❶ 以前注意したことがあるにもかかわらず改善がみられないので、年度途中ではあるが異動させる。

❷ しばらくの間、特命事項の業務は担当させず、懲罰的な意味合いで、書類整理や備品管理を行わせる。

❸ 勤務態度が改まらない理由の確認を含め、別途面接の機会を設け、その場で今後の改善を約束させる。

❹ ルーズな勤務態度をC主事が真似することになる前に、ペアを解消させる。

❺ 大きな問題を起こしておらず成果もあがっているので、当面は現状のまま様子を見守る。

仕事の面では非常に優秀で十分な成果をあげている係長が、遅刻や突然の休暇取得など、勤務態度に関してはルーズな場合がある。課長は、組織としての成果を求められる一方で、課内の職員による服務事故の発生を防ぐ責務もある。本人は、仕事は十分やっているから、多少のことは大目にみてもらえるだろうという甘えの気持ちもあるかもしれないが、ルーズな勤務態度を許していると、大きな事故につながってしまうものである。課長は、面接等を通じて、問題点を自覚させ改善を約束させる必要がある。現在のところは、問題が起こっていなくても、そのまま放置すれば、事故の発生リスクを抱えるだけでなく、周囲の職員に悪い影響を与えてしまう。

　事例では、トップマネジメント機能を担う課で、十分成果をあげているが勤務態度がルーズな係長にどのような対応をとるべきかが問われている。B係長は成果をあげ組織にも貢献しているので、仕事は今まで通り遂行してもらいたい。従って、本人がやる気を失うような指導は避けるべきである。面接の機会を設け、問題となる点ははっきりと伝え、改善していくことを約束させる。すぐに改善がみられなくても、何度でも粘り強く注意していくことが大切である。

❶　誤り。一度注意して改善がみられなくても諦めずに何度でも対応する必要がある。異動が解決につながるわけではない。

❷　誤り。懲罰的に別の仕事をさせても改善されるとは考えられないし、やる気を失わせる可能性もある。

❸　妥当である。面接等を通じて本人に自覚させ、改善を促していくことが大切である。

❹　誤り。周囲に悪影響が及ばないように、速やかに勤務態度を改善させるべきだが、ペアの解消は必要ない。

❺　誤り。放置しておくと、大きな事故につながる可能性もあるので、問題が起こる前に対応するべきである。

【正解　❸】

設問 37 職員の指導・育成
特定の職員に配慮する係長への対応

Q

Aは、市立X図書館の館長で、市の職制では課長級にあたる。図書館は、土日も開館し、開館が10時〜20時であるため、勤務時間は通常とは異なる。勤務シフトは、係ごとに、係長が各職員の希望を聴いたうえで作成することにしている。

Bが係長を務める貸出係は、総勢15人の職員が在籍する大所帯である。若手のC主事は、日頃から熱意をもって働き、担当以外の業務でも、B係長が困っていれば、自ら申し出て引き受けるなど、協力的である。B係長は、献身的なC主事を気に入っており、勤務シフトを組む際は優先的に予定を確認するように気を配っている。ところが、C主事が優先されることに不満を感じている職員から「B係長は、C主事を"ひいき"している」と、A館長へ抗議の申入れがあった。このような状況で、A館長はどのような対応をとるべきか。

A

❶ 職員間で不公平があってはならない場面なので、B係長にC主事だけを特別扱いすることをやめさせる。

❷ 当事者同士で解決策を探らせるため、B係長と抗議している職員とで話し合う機会を設ける。

❸ 貸付係における人間関係が崩れてしまっているので、図書館全体で大幅な配置転換を行う。

❹ B係長の対応は大きな問題ではないが、念のため貸出係の勤務シフトはA館長自ら作成することにする。

❺ この程度の配慮は"ひいき"とは言えず、B係長のやり方に問題はないので、特別な対応はとらない。

係長が自分に協力的な職員に目をかけることは珍しいことではないが、そういった行動が許される場面と、問題となる場面がある。大勢の職員がいる職場で勤務シフトの作成など個々の職員の意向をすべてくみとると調整がつかない場面では、誰もが多少なりとも譲り合い、我慢している。そのような中で、勤務シフトをまとめる係長が特定の職員に配慮しすぎてしまえば、他の職員から不満の声があがるのは当然である。この場合は特定の職員に配慮することなく、厳密に公平性を追求しなくてはならない。

事例で問われているのは、勤務シフトの作成にあたり、お気に入りの部下に配慮しすぎてしまう係長への対応である。C主事の立居振舞いから、B係長が目をかけたくなる心情は理解できる。しかし、多くの職員が在籍する職場での勤務シフト作成など、全員の協力や調整が必要な場面では、どうしても職員に我慢を強いる部分があるので、特定の個人に配慮するような行動は問題である。全員が納得して業務を行っていく前提として、B係長には厳密な公平性が求められる。この程度の配慮は、"ひいき"とまでは言えないかもしれないが、全員の納得を得るためには、C主事への特別な配慮をやめるようにB係長を指導するべきである。

❶ 妥当である。B係長の心情は分かるが、この場面は誰からも疑念がもたれない対応をとるべきである。
❷ 誤り。当事者同士に解決を任せるのではなく、館長が状況を判断したうえで、B係長のとるべき対応を指示するべきである。
❸ 誤り。係の人間関係が崩れているとまでは言えず、大幅な配置転換は必要ない。
❹ 誤り。B係長の対応に問題がまったくないとは言い切れず、その改善を指導するべきである。
❺ 誤り。全員の納得が得られれば、この程度は大目にみてもよい場合もあるが、今回は公明正大な対応が求められる。

【正解 ❶】

設問 38 職員の指導・育成
部下の育成を十分に行わない係長への対応

Q

A課長が所属する環境課は、公園係をはじめとする四つの係で構成されている。X市は、団塊世代の退職以降、新規職員の大量採用を行っており、各職場では、彼らの早期育成が求められている。

環境課の公園係長であるB係長は、責任感が強く、住民に迷惑がかかるような事態を招かないように常に気を配っている。公園係には、若手職員が多く配属され、中堅職員よりも人数が多い。業務面では、公園管理だけではなく、住民からの要望・苦情への対応などもあり多忙な職場である。様々な業務を手際よく処理しなくてはいけない場面もあり、未熟な若手職員には荷が重い仕事が多い。B係長は、住民対応に万全を期すため、若手職員にあまり仕事を任せず、自らが処理にあたっており、結果として育成は後回しになっている。このような状況で、A課長はどのような対応をとるべきか。

A

❶ B係長に住民に多少の迷惑がかかってでも、若手職員に仕事を任せるように指示する。

❷ 若手職員の育成は別の職場で行ってもらうことと割り切り、現状のやり方を継続させる。

❸ 中堅職員をチューターとして指名し、マンツーマンの指導ができる体制を整える。

❹ 若手職員の育成を重視しないB係長に関して、年度途中での異動を人事当局に依頼する。

❺ B係長に、若手職員一人ひとりについての具体的な育成計画を作成させる。

採用されたばかりの若手職員を受け入れる職場では、彼らを早期に育成し、戦力化しなくてはならない。しかし、若手職員は知識、経験に乏しく一つひとつの業務に時間をかけてしまい、結果として住民対応がある職場では、住民に迷惑をかけることも多い。場当たり的に仕事を任せていくとバランスよく育成ができないので、どの仕事を何の目的で行わせるのか、誰がどのように指導するか等、職場での職員育成（OJT）の実施計画を策定することが大切である。チューターを指名したマンツーマンの指導も有効だが、人員に余裕がなければチューター職員の負担が大きくなる。

　事例で問われているのは、住民に迷惑をかけられないので、若手職員に仕事を任せず、結果として育成がおろそかになっている係長への対応である。B係長が住民に迷惑をかけないために若手職員に仕事を任せられない現状は、やむを得ない面がある。職員育成は、場当たり的に行うのではなく、任せられる仕事をピックアップし、その目的まで職場内で共有することが望ましい。また、指導職員を明確にし、指導方法も決めておく必要がある。公園係は若手職員の数が中堅職員の数を上回っており、マンツーマンでの指導は難しい職場である。

❶　誤り。若手を育成するために、住民に迷惑をかけてしまっても構わないということはない。
❷　誤り。多忙な職場であっても、若手職員を育成することは受け入れている職場の責務なので、しっかりと対応する必要がある。
❸　誤り。公園係は、中堅職員より若手職員が多いので、マンツーマンの指導ができる体制を整えることは難しい。
❹　誤り。B係長が育成に取組めないのは、職場の性格上やむを得ない面があり、異動させて解決できるものではない。
❺　妥当である。職場においてどのように職員の育成を進めるかを定めた具体的な計画を職員ごとに策定することが有効である。

【正解　❺】

設問 **39** 職員の指導・育成
部下から避けられている係長への対応

Q

Aは、文化財保存係、文化振興係、協働推進係で構成されている生活文化課の課長として、3年目の春を迎えた。生活文化課には、4月に係長に昇任し、文化振興係長となったB係長がいる。

新たに昇任したB係長は、1日も早く仕事を覚え、何とか成果をあげたいと意気込んでいる。着任早々、B係長は部下に対して新たな資料の作成を指示したり、業務面での疑問点を確認するために長時間の打合せを行った。4月以降、部下たちは業務に不慣れな係長の相手をするために余計な仕事が増えている。最初は丁寧な対応をしていた部下たちも、B係長に関わると仕事が増えるので、係長との接触を極力避けるようになった。結果的にB係長は、部下からほとんど無視される状態に陥ってしまっている。このような状況で、A課長はどのような対応をとるべきか。

A

❶ B係長に、そもそものスタンスが間違えているとして、部下たちへ謝罪させ、今後は余計な指示や質問をしないように指導する。
❷ B係長に対して、係長職としての意気込みは評価したうえで、部下への指示や質問は、タイミングをよく考えて行うように指導する。
❸ 上司である係長を無視するような行動をとることがないように、部下たちを厳しく指導する。
❹ 係長としての資質に問題があるとして、降任させるように人事当局へ要請する。
❺ B係長と部下の間にあるわだかまりを取り除き、関係が改善するように勤務時間外で懇親会を企画する。

係長が張り切りすぎて、状況を考えずに部下の負担を増やしてしまうことがある。部下は、距離を置かなければ余計な仕事を依頼されるので、自然と係長を避けるようになる。そのような係長に対しては、よく周りをみて、部下の仕事がどのような状況にあるか気を配りながら、部下への指示や質問をするように指導する。接触を避けている部下を一方的に注意しても解決にはならず、逆に課長が信頼を失ってしまう。

　事例で問われているのは、新任の係長が着任早々張り切りすぎて、部下からほとんど無視されている状態にある場合の対応である。Ｂ係長の早く仕事を覚え組織に貢献したいという意気込みは評価できるが、そのために部下の負担を過度に増やすような行動はやめさせる必要がある。特に異動直後の信頼関係が構築されていない段階では、感情的な忌避につながりやすいので、注意が必要である。Ｂ係長の前向きな姿勢は評価しつつ、部下に対しては、仕事の状況をよく観察し手の空いていそうなタイミングで必要最小限の指示や質問を行うようにアドバイスする。部下がＢ係長を完全に無視し、仕事をサボタージュしているのであれば、厳しく注意する必要もあるが、余計な仕事の依頼を受けないための自衛的な行動であれば、そこまでの対応は不要である。

❶　誤り。早く組織に貢献したいというスタンスは間違いではなく、部下へのアプローチに問題がある。
❷　妥当である。部下の仕事の状況をよくみて、タイミングを見極めながら必要最小限の指示や質問をするべきである。
❸　誤り。ハラスメントのような形で係長を無視し、仕事もしないのであれば叱って当然だが、今回はそのような状況ではない。
❹　誤り。係長に昇任したばかりで経験が浅いのであって、課長がしっかり指導するべきであり、降任させる必要はない。
❺　誤り。時間外に懇親会を企画することは、悪いことではないが、それだけで事態が好転するわけではない。

【正解　❷】

設問 40 職員の指導・育成
まったく休暇を取得しない係長への対応

Aは、市民課長である。市民課は、住民の転居が多い年度末前後を除けば、それほど多忙ではない。従来、係長が率先して休み、部下にも休暇の消化を奨励してきたので、休暇の取得率は高かった。

現在のB係長は、これまでは見過ごされてきた課題に、積極的に取組んでいる。休みをとることよりも、仕事で成果をあげることを優先しているため、これまで休暇を1日もとっていない。B係長は、休暇の取得に対する意識が低く、職員に対しても休暇取得の声かけを行ってこなかった。そのため部下も遠慮して休暇の取得をためらい、係の休暇取得率は大幅に低下している。B係長の着任後、係が抱えていた課題は解決したものが多く、成果はあがっている。また、これまでのところ部下の不満の声をA課長が直接聞くことはない。このようなB係長に対して、A課長はどのような対応をとるべきか。

----

❶ 休暇を取得するように勧めるとともに、部下への休暇取得の呼びかけなどを十分に行うように指導する。

❷ 部下が遠慮しないように、仕事よりも休暇の取得を優先するように指導する。

❸ これまでの取組みを賞賛し、更なる成果をあげていくことを期待していると激励する。

❹ 部下から不満の声は出ておらず、成果はあがっているので、現状のまま事態を見守る。

❺ これまでのスタンスを転換し、部下はもちろん自らも休暇を完全に取得するように強く指導する。

解説

　ワークライフバランスが叫ばれる最近でも、仕事熱心で休暇を取得しない係長は存在する。休暇は心身をリフレッシュさせ、仕事の効率向上に資するとも言われており、適度に休暇を取得することは必要である。また、係長が休暇を取得しないと、部下が遠慮して休暇取得をためらう場合もあるので注意が必要である。係長は監督者として部下が休暇をとりやすい環境を整える責務があり、適切な声かけや業務の調整などを行っていかなくてはならない。

　事例で問われているのは、仕事熱心でまったく休暇を取得しない係長への対応である。B係長は着任後、係の課題解決に熱心に取組んでおり、その点は大いに評価されるべきである。一方、本人の意思ではあるが、この間休暇は取得していない。適度な休みが仕事の効率を向上させるとも言われており、業務との兼合いもあるが、休暇取得を勧める必要がある。加えて、部下がB係長に遠慮して休暇取得をためらい、休暇取得率が低下している事態は看過してはならない。B係長は、監督者として部下が休暇をとりやすい環境を整えるべきで、休暇取得の声かけや業務量の調整などを行う必要がある。休暇の取得しやすい、多様な働き方が認められる職場づくりが大切である。

・・

❶　妥当である。本人にもなるべく休暇を取得させ、部下に対しても休暇を取得しやすい職場環境を整える必要がある。

❷　誤り。休暇取得の呼びかけ等を行う必要はあるが、必ずしもB係長に対して仕事より休暇取得を優先させる必要はない。

❸　誤り。これまでの頑張りを評価し、激励することは構わないが、部下の休暇取得にも配慮させるべきである。

❹　誤り。現時点では表面化していなくとも、潜在的には不満があるはずで、問題が起こる前に対応するべきである。

❺　誤り。休暇の完全取得が望ましいが、業務との兼合いもあると考えられるので、B係長自身の休暇取得はある程度任せてもよい。

【正解　❶】

設問 **41** 職員の指導・育成
指示待ち職員への対応

　Aは、X市の人事課長である。X市では、団塊世代の大量退職をきっかけに、採用増加に舵を切っており、ここ数年は、職場に若手職員の姿が目立つようになってきた。

　人事課には、「働きやすい職場環境づくり」を所管する職員支援係があり、現在は係長に加え、中堅の主任2名と若手4名で業務を行っている。職場環境向上につながる施策の立案で、職員の要望を吸い上げながら、職員団体や財政当局と協議を重ねていく。そのため、様々な場面で職員の生の声を聴き、職員の置かれた状況を把握することが大切である。若手職員は、担当業務が終了すると、係長からの指示がなければ、そのまま自席にいることが多い。A課長は、採用者の中でも将来の活躍が期待されるメンバーを人事課に配属したつもりである。このような状況で、A課長はどのように若手職員を指導するべきか。

---

❶　担当業務を万全に行うことはもちろん、業務時間中に余裕がある場合は、自己啓発に励むように指導する。

❷　担当業務だけでなく、係長や主任と相談のうえ、職員の要望を吸い上げる機会をつくっていくように指導する。

❸　職場環境の向上につながる施策を自ら考案して実行し、問題が生じれば係長に相談するように指導する。

❹　自分で考える習慣を身につけさせるため、主任からの助言があっても、常に自分が正しいと思う行動をとるように指導する。

❺　人事課に配属した若手はエリート職員である旨を伝え、常に自覚をもって自らを律していくように指導する。

一昔前の公務員のイメージは、「のんびりとしていて、言われた仕事だけを無難にこなしていればいい職業」だったかもしれない。しかし現状は、行財政改革の流れの中で、どの自治体でも職員定数の削減が進み、一人あたりの業務量が増加している。決まった仕事だけをのんびりやっていればいい職場はなくなっている。職員には自ら課題を発見し、進んで仕事に取組む姿勢が求められている。課長は、若手職員に対して、指示待ちではなく積極的に仕事に取組む姿勢を身につけさせることが必要である。もちろん、進んで仕事に取組むことは、思いついた施策を勝手に実施していくことではない。

　事例で問われているのは、指示待ちで、自ら進んで課題に取組んでいく姿勢に乏しい若手職員への対応である。職員支援係は、職員の生の声を集めることが大切であり、そのために職員と接する機会をつくる行動力が求められる。A課長は、余裕がありながら、自ら行動しようとしない若手職員に、「指示待ちの姿勢では、公務員として成長できない。係長や先輩の主任と相談しながら自ら職員の声を吸い上げる機会をつくっていくように」と伝えるなど、彼らの意識向上を図るような指導を行うべきである。

･･

❶　誤り。自己啓発は大切だが、業務時間中は、自らの担当に関係する業務の遂行に取組むべきである。

❷　妥当である。自ら進んで職員の要望を吸い上げる機会を係長や主任と相談しながらつくらせるべきである。

❸　誤り。仕事に対する積極的な姿勢とは、思いつきの施策を勝手に実行していくことではない。

❹　誤り。経験の乏しい若手職員は、まずは主任等の先輩からの助言に従うことを優先するべきである。

❺　誤り。人事課はエリートのイメージがあるかもしれないが、それを職員に意識させることは望ましくない。

【正解　❷】

設問 42　職員の指導・育成
テレワークにおける職員の指導・育成

　Aは、X市の子ども福祉課長である。同課は市の保育所を所管するとともに、子育て支援の様々な施策の企画立案を行っている。市では、職員の働き方改革の一環として、テレワークを推進しており、人事課は同課をモデル職場として、所属職員に週4回以上のテレワークを求めている。同課は、直接市民と接する機会は少なく、新しい施策の企画の立案や保育所との連絡・調整が中心となっており、職場に出勤しなければできない業務は少ないが、初めて当該業務に従事する若い職員が複数在籍している。未経験者が在宅勤務によって仕事を覚え成果を上げていけるのか、A課長は不安を感じている。この場合、A課長の対応として最も妥当なものは、次のうちどれか。

❶　人事課にモデル職場の解除を依頼し、未経験者に対してはこれまで同様に職場でのOJTを進める。

❷　対面での密なコミュニケーションの機会を確保するため、全職員が職場に揃う状況を週一日は確保する。

❸　未経験者には福祉や保育所に関する専門書を配布し、独学で業務分野に関する知識を習得させる。

❹　未経験者に対し、課長への業務報告を午前と午後の2回行わせ、業務の進捗状況を課長が詳細に把握する。

❺　経験ある職員を未経験者のチューターとし、Web会議ツールやチャット等を活用したオンライン形式によるOJTを進める。

解説

　一般社団法人日本テレワーク協会によると、テレワークとは「tele＝離れた所」と「work＝働く」をあわせた造語で、「情報通信技術（ＩＣＴ）を活用した、場所や時間にとらわれない柔軟な働き方」のことを指す。

　テレワークでは、育児・介護期などで通勤が困難な職員でも勤務が可能となるほか、通勤・移動時間の短縮などによる生産性向上、ワークライフバランスの充実など、様々なメリットが期待できる。一方、仕事の管理が難しく、生産性向上に効果が上がっているのか分からない、モチベーションを維持・向上させるマネジメントが難しいといった声もあり、特に新規採用職員や業務未経験の職員に対する指導・育成は課題の一つとなっている。

　事例についてみると、未経験者の育成については、テレワークでも、Web会議ツール等を活用すれば、従来のＯＪＴに近い運用は可能であり、経験のある職員をチューターとし、きめ細かく指導できればより効果が高まる。一方、テレワークでは、管理職が細かく進捗を管理し指示するのではなく、仕事のビジョンや方向性をしっかりと共有し、細かい部分は職員に任せるほうが効果的と言われる。いずれにしても、テレワークは現在の社会状況等を勘案すると徐々に定着していくものと思われる。

❶　誤り。テレワークにおける職員の育成方法を考えるべきであって、モデル職場を解除してまで、従来のＯＪＴに固執する必要はない。

❷　誤り。テレワークが中心となっても、可能な限りコミュニケーションをとることは大切だが、対面以外で実現するような工夫が必要である。

❸　誤り。業務分野の知識を習得させることは必要だが、いきなり専門書を配布しても、実務を独学で習得することは難しい。

❹　誤り。細かく進捗管理することは係長に委ね、管理職は、仕事のビジョンや方向性を共有することがより効果的である。

❺　妥当である。チューターが中心になり、ＩＣＴを活用して、オンライン形式でのＯＪＴを進めるべきである。

【正解　❺】

設問 **43** 職員の指導・育成
周囲との協調性に欠ける職員への対応

Q

　Aは、市立博物館の館長である。博物館には、一般行政職の職員と学芸員が在籍しており、年に数回行う企画展では、学芸員が展示物の選定、陳列方法等を考え、行政職員が契約や予算管理を行っている。

　B学芸員は、専門知識が豊富で、企画展の中心的な役割を担っているが、周囲との協調性に欠け、勝手に物事を進めるところがある。企画展では、B学芸員が気に入った物品の購入やレンタルを、費用を考えず外部と約束してしまい、予算を管理するC主任は、その後の対応に窮することが度々あった。そうした報告があると、A館長はB学芸員を注意するのだが、その度に「私は来場者の喜ぶ顔が見たくて」と言うので、強くは指導できないでいた。秋の企画展後、C主任からは、「次回はB学芸員を担当から外しては？」との申入れがあった。このような状況で、A館長はどのような対応をとるべきか。

A

❶　B学芸員は協調性に問題があっても、豊富な専門知識を有しており、企画展にはなくてはならない存在なので現状を維持する。

❷　B学芸員は専門知識が豊富であっても、周囲との協調性に欠け、大きな問題を起こす可能性もあるので担当から外す。

❸　B学芸員に周囲に迷惑をかけている状況を自覚させ、展示物選定は必ず事前にC主任と調整することを条件に担当を続けさせる。

❹　担当者同士の納得感を大切にするため、B学芸員とC主任に、話合いを通じて担当をどうするか決めさせる。

❺　B学芸員の思いつきに振り回されないために、企画展における学芸員と一般職員の役割分担を大幅に見直す。

解説

　どこの職場でも周囲との協調性に欠け、マイペースを貫く職員は存在する。個人の資質の問題でもあり、改善させることは難しい場合も多いが、そのような職員がイベント等でのキーマンになる場合は、看過してはいられない。そのままでは組織で取組むイベント等に悪影響を与えることになってしまう。そこで、課長が本人と十分に話し合い、問題行動を自覚させるとともに、その改善を約束させる必要がある。そのうえで、周囲の職員には、しばらく見守ってほしいと伝えておくとよい。

　事例で問われているのは、専門知識の豊富な学芸員が、職場で中心的な役割を担う一方で、周囲との協調性に欠けるところがある場合の対応である。B学芸員の勝手な行動に周囲が振り回されており、A館長が適切な対応をとらなければ、組織の円滑な運営や次回の企画展の実施に支障を来す可能性がある。しかし、B学芸員を単純に排除してしまっては、企画展の開催自体が覚束なくなる。したがって、B学芸員との間で、問題行動とそれに伴って周囲が受けている影響について話し合う機会をもち、担当継続の前提条件として、問題行動の改善を約束させる必要がある。C主任には、B学芸員と約束した内容を伝え、しばらく様子をみることで納得してもらう。

❶　誤り。引き続き担当させるとしても、現状のままではC主任をはじめ周囲の不満が高まってしまう。

❷　誤り。企画展の開催を考えると、B学芸員を担当から外すことは得策ではない。

❸　妥当である。面接を通じ問題行動を自覚させ、改善策を具体的に約束させる必要がある。

❹　誤り。担当者同士で話し合ったところで、感情的になる可能性もあり有効な解決策を導き出せる可能性は低い。

❺　誤り。企画展における学芸員と一般職員の役割分担を見直したところで、問題の解決にはつながらない。

【正解　❸】

設問 **44** 職員の指導・育成
ミスを続けて自信を失った職員への対応

Q

　A課長が所属する財政課は、予算を所管し、一定額以上の工事契約も所管している。所属職員は、高い事務処理能力をもつとともに、責任感が強く、将来の市役所を支えていくメンバーが揃っている。

　若手のB主事は、これまで福祉部門の予算査定を的確に行うなど財政課で大きな役割を果たしてきた。ところが先日、市長へ補正予算の説明をする際に、担当している事業の積算根拠を間違えてしまった。また、市民向けの「防災教本」の契約を担当していたが、業者への指示を誤ったため、市民の手元に届くのが遅れてしまった。失敗が続いたことで、B主事はすっかり自信をなくしてしまった。上司のC係長からは「B主事は十分に反省しているのでその点は問題ないが、仕事に対する積極的な姿勢が影をひそめてしまい、残念である」との報告があった。このような職員にA課長は、どのような対応をとるべきか。

A

❶　B主事に同じ過ちをくり返さないために、失敗の背景や原因をまとめたレポートを提出させる。

❷　B主事に気分転換をさせるため、財政や契約に関する業務ではなく別の業務を担当させる。

❸　B主事にやる気を取り戻してもらうため、市役所外部で実施される研修を受講させる。

❹　B主事を立ち直らせるため、組織として大きな期待を寄せていることを伝える。

❺　B主事に自信を取り戻してもらうため、これまで取組んだ困難な仕事における成果を思い出させる。

それまで順調に経験を重ね、成果もあげていた職員が、失敗をすることで自信を失い、仕事に対する姿勢まで消極的になってしまうことがある。特に若手職員は、積み上げてきたものが強固ではないため、ちょっとした失敗でも自信を失ってしまうことが多い。そのような状況を放置すると、将来ある若手職員が輝きを失い、立ち直れなくなってしまう可能性もある。どのような対応が有効かは、職員の性格等によって異なるが、とにかく自信を取り戻してもらうことが大切である。

　事例で問われているのは、ミスによって自信をなくしてしまった将来有望な若手職員への対応である。B主事の性格についての情報が少ないので、最適な対応を一つだけに特定することは難しいが、一般論として避けた方がよい行動はある。例えば、本人は十分に反省しているので、失敗を思い出させるような対応は行わない方がよい。また、自信を失っているときに、気分転換をさせようと思って担当業務を変更することは、本人がそのように受け取らず、懲罰的に捉える可能性もあるので避けるべきである。加えて、本人を励ますつもりで期待感を伝えることは、過度のプレッシャーを感じさせてしまい逆効果となる場合もある。

----

❶　誤り。失敗の背景や原因をまとめたレポートは、反省している本人にとっては傷に塩を塗られるようなものである。

❷　誤り。気分転換は必要だが、それまで担当していた業務を変更させられると、本人は外されたと感じる可能性が高い。

❸　誤り。外部で実施される研修を受講させることで、本人のやる気が取り戻せるとは限らない。

❹　誤り。期待していることを伝えることが、過度のプレッシャーになってしまう可能性がある。

❺　妥当である。B主事に自信を取り戻してもらうことが大切なので、自らの成功体験を思い出させることは有効である。

【正解　❺】

COLUMN

課長に昇格したら立場の変化を把握する

　係長から決定権限をもつ課長へと昇格したとき、職場における立場が大きく変化する。第一に、部下との関係である。課長は、部下と一定の距離を置くことが求められる。例えば、課長が、特定の部下と親しくすると他の部下の不信を招き、組織のパフォーマンスを低下させる。また、課長が、軽い気持ちで部下をインフォーマルな付き合いに誘った場合、部下としては断りづらいため、かえって迷惑をかけることもある。第二に、必要とされる能力が係長とは異なる。係長であれば、資料作成などの技術を身につけていることが重要であるが、課長の場合は、部下を動かしてよい資料を作成させる能力が必要となる。第三に、自分とは利害が対立するポストに就いている職員とは信頼関係を構築できないことを認識し、その職員とは慎重に接しなければならない。これは、当事者の意思や性格とは関係なく、組織における構造的な問題である。課長に昇格したものは、このような立場の変化を直ちに把握し、今までとは異なる行動様式を身につけることで、業務を円滑に進めることができるのである。

3章

住民対応と広報・広聴
危機管理

設問 45 住民対応と広報・広聴
住民説明会で一人の住民が強硬に主張する場合

X県では、増加する児童虐待への対応を充実させるため、新たに児童相談所を設置することとし、そのための住民説明会を開催した。児童相談所は、虐待を受けた児童や非行少年の保護などを行う施設である。所管課長であるA児童福祉課長は、部下の係長とともに説明会に臨んだ。約30人の住民が参加したが、事前のアンケートでは、児童福祉への理解を示す意見が多かった。しかし、A課長が、児童相談所の概要について説明を始めると、B氏及びC氏が、「不良少年が児童相談所を脱走したらどうする」、「子供を虐待するような親がこの地域に近づくと治安が悪くなる」と大声で反対し始め、その後も、反対意見をくり返して主張した。一方、他の参加者は、困惑した表情でこの様子をみていた。この場合、A課長の対応として最も妥当なものは、次のうちどれか。

----

❶ 住民が冷静さを取り戻す期間を確保するため、説明会を閉会し、後日、改めて説明会を開催する。
❷ 住民説明会は、手続きとして実施した事実が重要であることから、予定した議事をすべて行って閉会する。
❸ B氏及びC氏の発言を制限し、児童相談所の設置に理解のある参加者を指名して発言を促す。
❹ 児童相談所の概要を説明することは諦め、とりあえず、住民の意見を聴く集会とする旨を申し述べる。
❺ 説明会の流れを説明し、県側が説明した後に参加者の意見を聴くことを約束し、説明を再開する。

公共施設の建設に着手する場合、その地域の住民の理解を得ることが必要不可欠である。もし、住民の理解を得ないままに事業を進めた場合、様々なトラブルが発生する。それは、建設期間中だけでなく、施設等を運用する段階にも及ぶ。とりわけ、いわゆる迷惑施設と呼ばれるものの場合は、事前の住民対応は丁寧に行う必要がある。時間がかかるようにみえても、最終的には、その方が事業は円滑に進むこととなる。住民の理解を得る手法の一つとして、住民説明会がある。住民説明会には、当該事業に高い関心を寄せる住民が参加し、その中には、反対の意見をもつものも含まれる。行政としては、事業の必要性を分かりやすく誠実に説明することが、基本的な姿勢である。その際、一部の参加者のために議事が混乱することは、他の参加者の迷惑となるので、適切に議事を進める必要がある。

　事例についてみると、新設する児童相談所の概要について説明を開始する前に、B氏及びC氏が意見を述べ始めているが、参加者全員の理解を得ることを目的とするならば、まず、参加者全員に事業の概要を説明しなければならない。そのうえで、B氏及びC氏を含む、できるだけ多くの意見を聴くとともに、質問には丁寧に回答するべきである。

----

❶　誤り。説明会を後日開催しても、B氏及びC氏の態度が変わるとは考えられない。

❷　誤り。住民説明会は、実施した事実が残ればよいものではなく、できるだけ住民の理解を得るために開催するものである。

❸　誤り。まずは、児童相談所の概要について説明する必要がある。また、参加者には平等に発言の機会を与えるべきである。

❹　誤り。児童相談所の概要を説明しなければ、住民の正しい理解を得ることはできない。

❺　妥当である。まず、児童相談所を設置する目的、施設や業務の内容を丁寧に説明し、その上で、参加者の意見を聴くべきである。

【正解　❺】

設問 46 　住民対応と広報・広聴
公共の場で個人情報に触れる発言をする職員

　Aは、市の健康推進課長である。同課は、健康増進に関する情報提供やイベントの開催、市民の健康診断などを所管している。ある日、A課長は、部下のB係長とC主任とともに県庁に出張した。B係長とC主任は、ともに仕事熱心で、課の事業のあり方について、議論をすることが多かった。この日も、県庁から職場に戻る電車の中で、B係長とC主任は、今後の健康診断事業のあり方について議論を始めた。A課長が、横で聞いていると、二人の会話の中に、健康診断を受診した市民の氏名や、発見された病名、さらにその後の市の対応などが含まれていた。この場合、A課長の対応として最も妥当なものは、次のうちどれか。

A

❶　その場で、B係長とC主任に対して会話の内容を注意するとともに、後日、課内で、公の場での会話について話し合う機会を設ける。
❷　その場で、B係長とC主任に対して、会話の内容を注意し、帰庁後、二人を厳しく指導する。
❸　仕事への熱意を削がないように、B係長とC主任に対して声を小さくするように注意する。
❹　B係長とC主任の仕事への熱意を評価し、今回は様子をみることとし、特段の注意は与えない。
❺　その場で直ちに、B係長とC主任を厳しく叱責し、住民のプライバシーに配慮することの重要性を諭す。

自治体は、住民サービスを提供することに伴い、住民の様々な個人情報を取得する。その中には、病歴、経済状態、家族関係など、デリケートな内容も多く含まれている。多くの自治体では、個人情報を保護するための条例を制定し、その取得や使用について制限を設けている。また、地方公務員法により、自治体職員は、職務上知り得た秘密を漏らしてはならないという義務（守秘義務）を課せられており（34条）、これに違反した者は、1年以下の懲役又は50万円以下の罰金に処せられる（60条）。さらに、近年、個人情報に関する住民の意識は高まっており、自治体職員が迂闊に個人情報を口にした場合、強い批判を受ける可能性が高い。このようなことから、自治体職員は、公共交通機関や飲食店などにおける会話には、十分に注意しなくてはならない。加えて、管理職は、個人情報を取り巻く状況が時代によって変化することを踏まえ、組織全体で共通認識を醸成する機会を設けるべきである。

　事例についてみると、電車の中では、B係長とC主任の会話は明らかに不適切である。両者が仕事熱心であることは、個人情報を口にしたことについての言い訳にはならない。A課長としては、その場で二人に注意を促すとともに、健康推進課全体で、公の場での会話に係る注意点について共通認識を形成するべきである。

❶　妥当である。課の職員全員に問題意識をもたせることにより、住民からの信頼を失うことのないよう職員を指導するべきである。
❷　誤り。これでは、いたずらにB係長とC主任の士気を低下させるだけである。
❸　誤り。たとえ小さな声であっても、個人情報を公の場で口外するべきではないので、不適当である。
❹　誤り。B係長とC主任は、問題点に気づいていないので、注意をしなければ同じ行動をくり返す可能性が高い。
❺　誤り。❷と同様に不適当である。

【正解　❶】

設問 47 住民対応と広報・広聴
議員からの業者紹介

Q

　Aは、市の都市整備部の庶務を担当する管理課長である。同部は市の街路整備や市街地再開発事業等を所管している。市では、必要な用地買収が終了したことから、今年度から街路の拡幅工事に着手しようとしている。ある日、A課長は、当選回数の多いB議員に呼ばれて、議会棟の議員控え室に行った。そこでB議員は、A課長に対して、「今年から始まる街路工事だが、S建設会社にやらせてほしい。S建設会社のC社長は私の長年の友人で、施工能力は間違いない。今週中にC社長と会ってもらいたい」と言われた。当該工事の契約は、総務部経理課が所管しており、競争入札によって業者を決定することとなっていた。この場合、A課長の対応として最も妥当なものは、次のうちどれか。

A

❶　早々にC社長に連絡をとって面会をするが、その後、総務部の経理課長にS建設会社を入札の指名から外すように依頼する。
❷　C社長に面会をして自治体の契約制度を説明し、特命でS建設会社と契約することは困難である旨を伝える。
❸　B議員に対して、自治体の契約制度を説明したうえ、特命でS建設会社と契約することは困難である旨を伝える。
❹　C社長に面会して、特命でS建設会社と契約することは困難である旨を伝えるとともに、総務部の経理課長に経緯を伝えておく。
❺　都市整備部長に経緯を報告し、同部長からB議員に対して、特命でS建設会社と契約することは困難である旨を伝えてもらう。

自治体の議員は、住民から選ばれていることから、住民の要望を執行機関に伝えるのは当然である。しかし、その内容が行政の公平性を損なうような場合は、執行機関としては断らなくてはならない。近年、行政の透明性が強く求められるようになっていることから、この点は十分に留意する必要がある。特に、契約については、地方自治法や当該自治体の条例等によって定められている手続きをしっかりと遵守しなくてはならない。ルールをまげて不適切な契約を締結した場合、契約事務には多くの職員が絡むことから、必ず明るみになる。さらに、ＳＮＳが発達した今日、内部告発が行われた場合、その内容は、不特定多数の人々に瞬時に共有されることとなる。その結果、不適切な契約に携わった職員は、マスコミや住民から強く非難され、最悪の場合、刑事告訴や懲戒処分といった事態に発展することとなる。

　事例についてみると、B議員はC社長に何らかの約束をしたうえでA課長に契約の依頼をしている可能性がある。結論においてはB議員の依頼は断らざるを得ないが、B議員の感情にも配慮するとともに、B議員からC社長への説明を容易にすることも考え、場を改めて、上司の都市整備部長からその旨を伝えてもらうべきである。

❶　誤り。建設会社が契約をとれなかった場合、C社長からB議員にその旨の連絡が入り、B議員との間でトラブルになる。
❷　誤り。B議員はC社長に契約をとることを約束している可能性があり、いきなりC社長に契約が困難である旨を説明するのは不適当である。
❸　誤り。その場で直ちにB議員に対して謝絶することは、いたずらにB議員の感情を逆なでする可能性があるので不適当である。
❹　誤り。❷と同様に不適当である。
❺　妥当である。B議員の感情にも配慮して穏便に謝絶するためには、いったん引き取ったうえで、上司から伝えてもらうのが妥当である。

【正解　❺】

設問 48 住民対応と広報・広聴
不当な要求を掲げ長時間居座る住民

Q

　Aは、市の土木部用地課長である。用地課では、道路整備に必要な用地買収を所管している。ある日、用地買収を進めている地域の地権者であるB氏が用地課を訪れた。B氏の土地には、多くの庭木が植えてあり、その補償をめぐって交渉が続けられていた。B氏は、用地課に入って来るなり、「俺の家の庭木は、先祖から伝わったものだから、1本あたり1億円で買い取れ」と言い始めた。用地課の職員が話しかけようとしたが、「市長を出せ。そうすれば、1本当たり8000万円に負けてやる」と主張した。B氏は、対応している用地課の係長に対して、30分以上にわたり同じことをくり返し話している。この場合、A課長の対応として最も妥当なものは、次のうちどれか。

A

❶ 来庁者の迷惑になる可能性があるので、警備員を呼び退庁を促し、従わない場合は警察に連絡する。

❷ 来庁者の迷惑になる可能性があるので、市長に会わせる約束をしてその場は引き取らせる。

❸ 来庁者の迷惑になる可能性があるので、B氏を別室に案内し、庭木の補償について粘り強く交渉する。

❹ 市長を出すわけにはいかないので、土木部長に、庭木の補償について、B氏の説得を依頼する。

❺ まずは、対応している係長に任せるが、状況によっては自らも対応に加わる。

自治体は、住民福祉の向上を使命とし、住民が納める税金で運営されている以上、個々の住民の要望に対して真摯に向き合うのは当然である。しかし、明らかに不当な要求については、毅然として断わらなければならない。それは、もし、そこで妥協して、公平性を欠く対応をした場合、他の住民に対して説明ができないからである。不当な要求をする来庁者に対しては、二人以上の職員で対応し、対応の記録を残すことが重要である。また、当該来庁者が、長時間にわたって要求をくり返す場合には、一定の時間で対応を打ち切ることも差し支えない。それは、当該対応をしている職員の時間は、住民サービスの向上に資するよう用いられるべきだからである。また、来庁者への対応は一般職員が行うべきであり、不当な要求をする来庁者に対しても、それは同様である。来庁者が強硬な態度に出たからと言って、すぐに課長が対応するべきではない。それは、他の来庁者への対応と差をつけることとなり不適当だからである。課長は、来庁者への職員の対応状況を把握し、その対応が妥当かどうかについて判断をすることが業務である。事例についてみると、B氏の要求は明らかに不当であり、一般職員が一定時間対応して納得しない場合は、対応を打ち切ることが妥当である。A課長としては、その状況を把握し、部下の対応に問題があったときに、その部下を指導するべきである。

❶　誤り。B氏が暴力を振るうなどの行為に出ない限り、警備員を呼ぶのは早すぎる。
❷　誤り。もともと市長に会わせるような内容ではない。また、後日、市長に会わせなかった場合、B氏との関係が一層こじれてしまう。
❸　誤り。B氏の要求は明らかに不当なものであり、交渉の俎上に載せられるものではない。
❹　誤り。明らかに不当なB氏の要求について、部長に対応させるのは不適当である。
❺　妥当である。このような不当な要求への対応は、一義的には一般職が行うべきであり、直ちに課長が対応するべきではない。

【正解　❺】

設問 **49** 住民対応と広報・広聴
公表前の一社からの取材

Aは、市の産業振興課長である。産業振興課では、市内の中小企業の販路拡大を支援するため、「中小企業総合支援計画」の策定作業を進めており、関係団体等との調整も終了したことから、来週の金曜日に公表することとしていた。そこへ、A課長のもとにP新聞社のB記者が訪れた。B記者は、「来週金曜日に計画を発表しますね。その内容を説明してほしい。私も取材して、ある程度は把握している」と言った。A課長は、今まで当該計画の内容を外部に話したことはなかったが、B記者は、計画の内容をある程度正確に把握していた。しかし、B記者の理解には、誤っている部分も見受けられた。この場合、A課長の対応として最も妥当なものは、次のうちどれか。

❶ B記者の誤解している部分を訂正する必要があるので、取材に応じて、計画の内容を説明する。

❷ B記者が誤った内容を記事にすることを避けるため、市が公表する前には記事にしないことを約束して、取材に応じる。

❸ B記者の取材には応じず、P社が記事を掲載する前に公表するべく、直ちに調整を開始する。

❹ B記者に対して、現時点では話せることはない旨を伝えて、取材を断る。

❺ 市の公表前にP社が記事を掲載すれば、より広く周知できることが期待できるため、積極的に取材に応じる。

解説

　自治体が計画などを公表する場合、同時に新聞社などのマスコミにも情報を提供することが多い。その理由は、新聞等を通じることによって、多くの市民や関係者に自治体の施策を周知することができ、そのことが、施策の推進に資するためである。一方、マスコミは、行政を監視する機能が期待されているため、行政に批判的な記事を掲載することもある。自治体職員としては、このようなマスコミの姿勢を十分に理解しながら、誠実に対応する必要がある。その際、重要な点は、すべてのマスコミに公平に対応することである。つまり、情報を提供する時期やその内容に差をつけてはならない。自治体が、特定の新聞社等を特別扱いすれば、他社は強く反発し、別な場面で、必要以上に批判的な記事を掲載される可能性もある。

　事例についてみると、B記者は、「中小企業総合支援計画」について、一定の情報を有しているものの、誤解している部分もある。A課長としては、訂正したくなるかもしれないが、マスコミ対応の原則に従って、取材には応じないのが正しい対応である。仮に、市の計画公表に先だって、P社が誤った内容を含む記事を掲載した場合は、市としてP社に抗議するべきである。

❶　誤り。B記者が誤解している部分があるとしても、取材に応じることは特定の新聞社に情報を与えることになるので不適当である。
❷　誤り。たとえ、B記者と約束をしても、P社がそれを守る保証はないので、不適当である。
❸　誤り。P社が計画の情報の一部を有していることは、市として決定した計画の公表時期を動かす理由にはならない。
❹　妥当である。特定の新聞社を優先して情報を提供するべきではない。
❺　誤り。取材に応じてP社が記事を掲載した場合、他の新聞社と市との関係が悪化するので不適当である。

【正解　❹】

設問 50 住民対応と広報・広聴
福祉施設への苦情

Q

　Aは、先月、市の児童福祉課長に着任し、市立保育園を所管している。市立S保育園は、比較的広い園庭があることから、できるだけ園児を外で遊ばせるようにしており、運動会などの行事も積極的に実施している。ある日、近隣の町内会長のB氏がA課長のもとを訪れ、「S保育園の子供の声がうるさくて困るという意見が、住民から数多く出ている。子供を外で遊ばせるのをやめてほしい。特に、運動会は必ず廃止してほしい」と要求した。しかし、園児の保護者からは、広い園庭で子供たちが遊べる点が高く評価されており、その利用を制限した場合、保護者からの反発が予想された。この場合、A課長の対応として最も妥当なものは、次のうちどれか。

A

❶　休日などの閉園時については、近隣住民が園庭を自由に使えるようにすることを約束する。

❷　S保育園の行事について理解を深めてもらうため、S保育園の運動会に近隣住民も参加することを提案する。

❸　S保育園やその周囲の状況を調査して対応を検討することを約束する。

❹　B氏にはいったん引き取ってもらい、その後、四半期ごとにB氏を訪ねて、S保育園に対する意見を聴く。

❺　S保育園の近隣住民の要望に可能な限り応えるべく、自治会としての要望をまとめてもらうよう依頼する。

解説

　高齢者や児童、障害者に係る福祉施設は、住民福祉を推進するうえで欠かすことができない。また、その整備については、関係する住民からも強いニーズがある。しかし、実際に施設を設置し運営する段階になると、当該施設と近隣住民との間に、トラブルが発生することが珍しくない。例えば、近年、女性の社会進出に伴い、保育園の建設が全国で進められているが、近隣の住民からは、子供の声や、子供の送迎に伴う道路の混雑などに関する苦情が寄せられることが多く、住宅地の中に保育園を設置し、運用する場合、地元の合意を得ることは容易ではない。自治体としては、施設の利用者も当該施設の近隣住民も同じ市民であり、何とかして、両者の理解を得ながら施策を推進しなくてはならない。その際、重要なことは、特定の関係者に偏ることなく、幅広く意見を求めることである。

　事例についてみると、A課長としては、まず、S保育園の職員や利用者の意見、近隣住民からS保育園に寄せられる意見などを把握するとともに、子供の声の様子も実際に聞いてみることが重要である。そのうえで、何らかの対応が必要と判断した場合は、S保育園と相談しながら対応案を取りまとめ、B氏が会長を務める自治会やその他の近隣住民に案を示し、理解を得るよう粘り強く努力するべきである。

❶　誤り。S保育園やその周囲の状況を把握する前に、具体的な約束をするべきではない。また、園庭の開放が問題の解決に結びつくとは限らない。

❷　誤り。❶と同様に不適当である。

❸　妥当である。まず、S保育園の子供の声の程度や、その声が近隣に与えている影響を把握したうえで、必要な対策を検討するべきである。

❹　誤り。四半期ごとにB氏を訪ねても状況は変わらず、かえって、市の対応が遅いといった印象を与える可能性がある。

❺　誤り。自治会の要望をまとめてもらうよりも、S保育園をめぐる現場の状況を把握することが先である。

【正解　❸】

設問 51 住民対応と広報・広聴
ソーシャルメディアによる特産品のPR

Q

　Aは、主に財政畑を歩んできたが、この4月に経験のない広報担当の課長となった。X市は野菜を中心とした農産物の生産が盛んな地域である。近年特産のトマトを活かした六次産業化を推進しており、新たなソースなど様々な新商品が開発されている。X市のB市長は、トマトを使った新商品を梃子に、X市の知名度を向上させたいと考えており、A課長に対して、新商品のPRを早急に行うよう指示があった。ソーシャルメディアについては、B市長の関心が高いようだが、これまでX市では、防災分野等において活用されてきたものの、商品PRでの活用例はなく、課の職員の中には反対する意見が多い。この場合、A課長の対応として最も妥当なものは、次のうちどれか。

A

❶　B市長の関心が高いので、ソーシャルメディアであるTwitter、Facebookのアカウントを取得し、速やかに運用を開始する。

❷　反対する職員の多いソーシャルメディアの活用は避け、従来行っていたイベント会場でのブース等でのPR活動に全力で取組む。

❸　広報手法やマーケティング等の専門家を交えたワーキンググループを設置し、PR手法について様々な視点から調査・研究を行う。

❹　ソーシャルメディアの導入を前提に、活用するメディアの種類も含め留意すべき点の洗い出しなど、運用に向けた準備を進める。

❺　B市長に対して、具体的なPR方法として、どのような手法を導入すべきか、直接意向を確認する。

ソーシャルメディアとは、マスメディアと違い「クモの巣」状に情報の発信者と受信者がつながっているメディアである。自治体では、災害情報を伝えるツールとして活用されているが、広報のツールとしても活用が広がりつつある。例えば、ソーシャルメディアであるTwitter等のＳＮＳは、発信に時間も特別な技術も必要としないため、更新が容易で、短時間で情報を発信できるとともに、読み手の反響へのレスポンスも行い易い。また、課や係といった小さな規模の組織でも、頻繁に情報発信を行うことが可能になる。一方で、職員個人が容易に発信できるということは、不適切な発言や情報漏えいなどのリスクを抱えることにもなる。

　事例では、ソーシャルメディアを導入すること自体については、活用によるメリットや市長の関心を踏まえると、適当であると考えられる。一方、ソーシャルメディアを活用することには、情報漏えい、プライバシー侵害・自治体への信頼の損失、中傷被害、風評被害などのリスクがあることも十分に考慮する必要がある。従って、導入にあたっては、想定されるリスクに対応していくために、発信者の特定やアカウントの管理方法をはじめ、周到な準備が必要になってくる。

❶　誤り。周到な準備なく拙速に運用を始めることは避けるべきである。不適切な発言による炎上や情報漏えいなど大きなトラブルを招く可能性が高い。
❷　誤り。自ら広報経験がなく反対する職員が多いからといって、ソーシャルメディアの活用を初めから排除すべきではない。
❸　誤り。活用に向けた準備は必要だが、専門家も参加したＷＧで調査・研究を行っていては、あまりに時間がかかってしまう。
❹　妥当である。ソーシャルメディアには、それぞれ特性に応じたリスクがあることを念頭に入れ、十分に準備したうえで活用を始めるべきである。
❺　誤り。ＰＲ手法について、最終的にはＢ市長の了解を得る必要があるが、最初から意向確認するのは、担当の課長としての主体性が疑われる。

【正解　❹】

設問 52 住民対応と広報・広聴
住民からの電話への対応

Q

　Aは、X市の税務課長である。ある日、A課長のデスクに電話がかかってきた。A課長が電話に出ると、相手は、「私は市民のBというものだ。私の家の固定資産税だが、知人の税理士に調べてもらったところ、市の計算に誤りが見つかった。今まで払いすぎた分をすべて返してもらいたい。今からあなたのところに行くので、会って話をしたい」と言った。A課長は、固定資産税の計算の誤りが他の自治体で発生していることから、X市ではそのような事態を避けるため、部下の係長には、十分注意を払うよう厳命したばかりだった。また、A課長は、この後、市長へのレクが控えており、B氏と面会している時間はなかった。この場合、A課長の対応として最も妥当なものは、次のうちどれか。

A

❶ 自分が対応する旨を伝えて電話を切り、市長へのレクの時間を変更するよう部下の係長に命じる。

❷ 税務課として対応する旨を伝えて電話を切り、部下の係長に今からB氏が来るので対応するよう指示する。

❸ 固定資産税の課税については、正確に行うよう部下に厳しく命じているので誤りはあり得ない旨を伝えて電話を切る。

❹ 誤りの内容を詳しく記した文書を電子メールで税務課へ送付するよう依頼して電話を切る。

❺ 今は面会の時間がとれない理由を説明し、面会する日時を約束して電話を切る。

解説

　自治体は、住民福祉の増進を使命として、住民からの税金で運営されている。したがって、住民からの苦情には誠実に対応しなければならない。では、具体的には、誰がどのように対応するべきなのだろうか。住民の中には、部長や課長といった役職者との面会を強く望む者もいるが、誰が対応するかは自治体側が決めることである。それは、自治体は組織として対応していることから、課長が対応した結果と、係長が対応した結果とにおいて差が生じることはなく、また、生じてはならないからである。また、課長や部長は、議会対応、マスコミ対応といった自治体の組織運営に携わる業務が多いため、現場の個別案件に対応した場合、本来果たさなければならない業務に支障が生じることになりかねない。このことは、最終的には、行政サービスの低下につながるのである。

　事例についてみると、B氏は自分が固定資産税を払いすぎていると強く思っているので、固定資産税の仕組みやB氏への課税状況について、丁寧に説明して理解を得るべきである。その際、A課長が直接対応するのではなく、まずは、部下の係長に対応させるべきであり、このケースでは、B氏への対応のために市長へのレクを後回しにするべきではないと考えられる。

❶　誤り。必ずしもA課長が面会する必要のないB氏への対応を優先させ、市長へのレクを後回しにすることは、市の業務の停滞を招くので適当ではない。

❷　妥当である。X市は、B氏の苦情に対しては誠実に対応する必要があるが、B氏との面会は管理職ではなく一般職員が行うべきである。

❸　誤り。B氏は、自分の課税額が誤っていると確信しているので、この説明では納得しない。

❹　誤り。B氏は面会したいと言っているので、文書の作成やその送付を依頼しても応じてもらえず、いたずらに感情を害するだけである。

❺　誤り。住民からの苦情対応は、一義的には一般職員が対応するべきである。

【正解　❷】

設問 53　住民対応と広報・広聴
アダプト制度の参加団体への苦情

Q

　Aは、X市の公園課長である。公園課では、市立公園の管理を所管しており、市の厳しい財政を背景にアダプト制度を導入している。この制度は、X市と希望する団体との間で契約を締結することにより、当該団体は無償で市立公園の清掃や除草等を行い、X市は、そのために必要な用具を支給するなどの支援を行うというものである。X市としては、アダプト制度により、経費削減を図ろうとしていた。ある日、A課長は、部下のB係長から、「アダプト制度によりS公園を管理しているYという団体ですが、周囲の住民から、清掃をしていないという苦情が来ています。現場をみると、確かに清掃が不十分でした」と言われた。この場合、A課長の対応として最も妥当なものは、次のうちどれか。

A

❶　YではS公園の管理は無理なので、Yの代表者に契約を解除する旨の通知を発出し、S公園の管理を希望する団体を公募する。
❷　Yの代表者を市役所に呼び、苦情の内容を説明し、S公園の清掃を直ちに行うよう要請する。
❸　苦情を述べている住民に対してアダプト制度の内容や趣旨を説明し、清掃が不十分であっても我慢するよう説得する。
❹　Yの代表者を市役所に呼び、苦情の内容を説明し、一緒に改善方法を検討する。
❺　市立公園の管理については、アダプト制度を廃止し、指定管理者制度を活用することにより経費を削減することを検討する。

解説

　自治体は、公共施設の管理に要する経費を削減する手法として、民間委託、指定管理者制度など様々な手法を活用している。その中の一つとして、アダプト制度が挙げられる。これは、公園や道路等の維持管理について、市民により構成される団体等と自治体が契約を締結したうえ、自治体は道具や資材を提供し、当該団体等は無償で公園等の清掃などを行うものである。自治体にとっては、経費削減を図ることができ、市民にとっては、住民意識の向上などに寄与するといった利点がある。もともとは、1985年頃、アメリカ合衆国において、テキサス州の運輸局が、高速道路の清掃のために市民に協力を呼びかけたのが始まりと言われており、現在、日本では、400以上の自治体で導入されている。なお、アダプト（Adopt）とは、「〜を養子にする」という意味であり、公園等を養子に見立て、市民がわが子のように世話をする様子を表している。

　事例についてみると、YによるS公園の清掃は十分に行われていないようであるが、アダプト制度の趣旨を考えれば、通常の契約のように債務不履行責任を追及するという対応ではなく、Yの事情を十分に聴いて、自治体に協力してくれる団体とともに課題を解決するといった観点から対応するべきである。

・・

❶　誤り。Yに事情を聴くことなく、一方的に契約の解除を通知することは、Yが無償で公園の管理を引き受けていることを考えると不適当である。
❷　誤り。理屈としては正しいが、Yは自ら希望して無償で公園の管理を行ってきたという点を考えると、適当な対応とは言えない。
❸　誤り。地域の住民としては当然の苦情なので、我慢するよう求めるのは不適当である。
❹　妥当である。Yの事情をよく聴いて、YとともにS公園の管理の方法を検討するべきである。
❺　誤り。指定管理者制度は経費削減に寄与するが、無償で公園の管理を委託できるわけではない。

【正解　❹】

設問 54 住民対応と広報・広聴
行政への協力を申し出る団体への対応

　Aは、市の商工課長である。商工課では、市内の中小企業への様々な補助金を所管している。市内には、商店を構成員とするX商業会、製造業の中小企業により構成されるY工業会、IT関連企業により構成されるZ情報通信協会の三団体がある。ある日、A課長のもとにZ情報通信協会のB会長が訪れ、「我々IT産業は、市内の産業振興にお役に立てると思う。ついては、まず、市と協力して事業を進めるための包括的な協定を締結したい」と言った。A課長は、近年、急速に進展する情報通信技術を取り入れた施策を展開したいと考えていた。しかし、X商業会やY工業会とは、協定を締結していなかった。この場合、A課長の対応として最も妥当なものは、次のうちどれか。

❶　官民の協力関係の強化は時代の流れであり、B会長に対して協定の締結を約束する。

❷　Z情報通信協会が市との協定を望む目的と協定締結の影響を調査して、その結果をみて対応を決める。

❸　X商業会及びY工業会の会長を呼び、Z情報通信協会と協定を締結しても差し支えないかを尋ねる。

❹　特定の団体と協定を締結することは自治体として望ましくない旨を伝え、協定の締結を断わる。

❺　官民の協力関係の強化は時代の流れではあるが、協定の締結前に、協力関係の具体的な内容を検討することを提案する。

解説

　自治体にとって、市内の様々な業界団体と良好な関係を維持することは、施策を円滑かつ効果的に展開するうえで重要である。自治体は、業界団体を通じて、現場の情報を得るとともに、自治体の意向や施策を広く周知してもらうことができる。また、自治体が施策を実施するうえで、その一部を担ってもらうことも行われている。しかし、自治体としては、行政の公平性を確保するため、特定の団体と親密になることは避けなければならない。特に、業界団体やその構成員に対する補助金や許認可権を所管している場合は、なおさらである。

　事例についてみると、A課長は、X商業会、Y工業会及びZ情報通信協会のいずれにも公平に対応する必要がある。この三者は、商工課が補助金を所管していることを前提として行動するはずである。したがって、A課長は、Z情報通信協会と連携するメリットを考慮しながらも、Z情報通信協会が市との協定を望む目的や協定締結の影響を冷静に見極め、そのうえで、協定締結の可否を判断しなくてはならない。もし、協定を締結する場合は、X商業会やY工業会に対して、行政の公平性が損なわれていないことを説明できなくてはならない。また、両者から協定の締結を求められたときの対応も、予め考えておく必要がある。

----

❶　誤り。Z情報通信協会が市と協定を結ぼうとする目的を確認する前に、協定の締結を約束するべきではない。

❷　妥当である。Z情報通信協会が協定に求める狙いによっては、行政の公平性が損なわれる可能性もあるので、まず、Z情報通信協会の目的と協定を締結した場合の影響を把握するべきである。

❸　誤り。X商業会及びY工業会が、Z情報通信協会に対して悪感情をもつ可能性があり、いたずらに混乱を引き起こす恐れがある。

❹　誤り。情報通信産業は、自治体の施策に役立つ面も多いことから、いきなりその場で断わるべきではない。

❺　誤り。協力関係の具体的な内容を検討する前に、Z情報通信協会の目的を把握するべきである。

【正解　❷】

設問 55 危機管理
所内で怒鳴り暴れる者への対応

A課長は、X市のまちづくりセンターの所長である。市は、現在、行政手続の6割をデジタル化しており、来所者数はピークの4割を切るまでになった。このため、窓口対応職員の数を以前の5割に減らしている。ある日、窓口から、「そんなことはスマホでやれよ。どけ」という怒鳴り声と「どん」という大きな音が聞こえた。Aがみると、床にうずくまる住民、口から血を流している職員と、別の職員に殴りかかっている者の姿が認めれらた。Aはすぐに110番通報をするとともに、警備員にその者を取り押さえさせ、やってきた警察官に引き渡したが、部下職員は、騒動の中、呆然と立ちすくむばかりであった。こうした場合のAの対応として最も妥当なものは、次のうちどれか。

---

❶ 翌朝に全職員を集め、危険を察知したら速やかに110番通報し、自らの身を守ることを第一とすることを周知徹底する。

❷ 次の事態に備え、早急に、さすまたなどの防御に必要なものを一式揃え、一人ひとりに取扱い方法を学ばせる。

❸ すべての行政手続を可及的速やかにデジタル化させることで窓口業務を全廃し、センターを訪れる者がなくなるようにする。

❹ センターに配置される職員の減少を踏まえた「危機管理マニュアル」を作成、周知を図るとともに、有事に備えた訓練を実施する。

❺ 個々の職員の能力にはばらつきがあるため、安全確保に向けて、センター入口にインターフォンを設置し、普段は施錠しておく。

解説

　危機管理とは、「(国民の) 生命、身体又は財産に重大な被害が生じ、又は生じるおそれがある緊急の事態への対処及び当該事態の発生の防止」(内閣法15条（内閣危機管理監の所掌事務）)をいい、危機に直面した際の対応のみならず、予防措置を講じることも含むものである。

　本事例はセンターの窓口を取り上げているが、施設管理運営の第一線において危機管理の役割を担う管理職は、施設の規模・態様を問わず、日頃から、①設備の整備・点検、職員研修など施設等の必要な取組みに努めること、②関係機関や地域住民等多様な関係者との協力・連携体制を構築しておくこと、などの備えをすることが必要である。

　具体的には、「有事の際」として、①有事の連絡体制や警戒体制、②連絡・通報体制や職員の協力体制、来所者等への避難誘導等に関する取り決めのほか、「日常の対応」として、①所内体制と職員の共通理解、②地域や関係機関等との連携などについて整備し、これらを訓練を通じて定着させていくことが重要である。

　センターの職員数が減っていく中にあっても、組織の危機対応力を低下させることはできない。Aは、今回の事例をよい機会とし、初動体制も含め、施設の危機管理全般について見直しを図っていくことが重要である。

❶　誤り。直後の対応としては正しいが、来所者管理など総合的に検討し、対応する体制を整えないと現場対応力の向上は望めない。

❷　誤り。必要な器具等の配備は重要だが、個人の防御力を上げるだけでは組織全体の現場対応力向上が見込めず、対応としては不十分である。

❸　誤り。話を聞きながら手続を進めたいなど、窓口対応を求める住民は一定数存在する。「誰一人取り残さない」デジタル化が重要である。

❹　妥当である。危機に直面した際の対応、来所者の安全の確保、関係機関との連携などを幅広く定め、訓練を通じた実践を行い、定着を図る。

❺　誤り。住民対応の最前線であるセンターは地域に開かれているべきであり、業務時間中にも拘わらず施錠するような運用は適切ではない。

【正解　❹】

設問 56 危機管理
当方にミスがある苦情への対応

Q

　AがセンターⅠ長を務めるX地域センターは、出生届・婚姻届を24時間受け付けており、休日夜間は防災係職員がこの任にあたっている。

　ある日曜日、出生届の提出に来た住民Mに対応した防災係のB主事は、届出人の欄に押印がないことに気づき、「提出があった旨は引き継いでおくので、明日、再度提出してもらいたい」と言って出生届を差し戻した。この日はMの子の出生日から14日目であった。翌日、Mが再提出に来たところ、住民係のC主事が「正当な理由がなく提出が遅れたので、戸籍法135条に基づき5万円以下の過料を科すことになる」と言ったため、Mは、「市の対応をマスコミに話す」と言って怒り出した。C主事は「受理受付簿」を確認せず、Mに対応したらしい。A課長の対応として最も妥当なものは、次のうちどれか。

A

❶　A課長が窓口に出て、Mに対して経緯を説明し、謝罪したうえで、届け出を受理することとする。

❷　C主事を呼び、状況を聞いたうえで、昨夜対応したB主事が所属する防災係職員を同席させたうえで、受理手続きを行わせる。

❸　受理受付簿を取り寄せ、昨夜の状況を確認したうえで、受付簿をCに確認させ、Mに謝罪をさせた後に、受理手続きを行わせる。

❹　「状況を確認のうえ、改めてこちらから連絡する」と言って、Mにはその場は引き取ってもらう。

❺　どのような対応が妥当であったのかの検証を行い、運用ルールの見直しと関係者への周知・徹底を図る。

解 説

　市の組織は、市民の負託を受け、各種の行政サービスを提供するため、市長をトップとして構成されているものであり、それを構成している職員一人ひとりが、それぞれに与えられた職責を全うすることによって、はじめて組織として機能し、能力が発揮される。職員は、組織内における役割を十分認識し、関係者との連携のもと、職務を果たさなくてはならない。

　事例の各種届出の受理は、定例的かつ反復的な業務であり、通常の注意をもってすれば難なく処理できる仕事であるが、些細な不注意や確認不足等によりトラブルが発生してしまうと大きな問題となってしまう場合が多い。住民と第一線で接するため、その一挙手一投足が、住民からの信頼を得ることにも失うことにもつながるのである。それだけに、凡事徹底、当たり前のことを当たり前に実行していくことが重要なのである。

　本事例の場合、明らかに内部の連携ミスが原因で起こったものであり、誠意をもって、迅速に対応することが求められる。

　なお、義務付けられた書類の提出のために窓口を訪れた住民の中には忙しい時間を縫って窓口に来ている人もいるので、窓口対応を行う職員は、窓口を訪れた人の負担が少しでも軽くなるように配慮するべきである。

・・

❶　誤り。まずは窓口で対応しているC主事が対処するべきである。
❷　誤り。受理受付簿によって受付状況は十分に把握できるので、防災係職員の同席は不要である。受付簿の記載では十分に状況が分からない場合に必要に応じて聞き取りを行うことは差し支えない。
❸　妥当である。関係書類を確認させ、状況を正しく把握させたうえで、謝罪も含めて必要な対応をとらせる。
❹　誤り。受理受付簿をみれば確認できる内容であり、改めてMに来所を願うほどの問題ではないため、その場で事態の鎮静化を図る。
❺　誤り。後日、現行の運用ルールの検証は当然行うべきだが、まずは目の前の事態に対処することを優先するべきである。

【正解　❸】

設問 57 危機管理
インターネット上に情報が漏えいした場合の対応

 ある日、A課長が業務に関係のあるインターネット上の電子掲示板をみていると、自分の課に関する情報が掲載されていることを発見した。A課長は、急ぎ、課の全職員に調査を命じた。調査の結果、どのような経路で情報が漏えいしたのかは分からなかったが、課が保有するUSBが一つ紛失していることが判明した。USBがいつの時点から紛失しているかは分からず、また、そのUSBにはどのようなデータが保管されているかも分からない。

 電子掲示板に掲載されている情報には内部の職員しか知り得ない行政運営情報や政策形成過程におけるものが数多くあり、明らかに内部情報の漏えいを疑わせるものである。こうした場合、A課長が第一にとるべき対応として最も妥当なものは、次のうちどれか。

❶ 情報漏えいの経路特定のため、USB管理簿と職員の記憶との突合作業等により、USB紛失時期と内容の特定を急ぐ。

❷ 流出した内容を特定するため、掲示板に掲載されている情報に関連するファイルの保存方法・保管状況について確認する。

❸ 機密情報の取扱いについて周知するほか、情報資産の保管方法、情報資産の持出し管理の徹底を図る。

❹ 被害の拡大を防ぐとともに、漏えいした者を特定するため、急ぎ警察へ届け出る。

❺ 情報漏えいは記者発表をしなくてはならないので、早急にプレス文案と想定問答をつくる。

解説

　独立行政法人情報処理推進機構セキュリティセンター（ＩＰＡ）は、情報漏えい対策の５原則として、（１）被害拡大防止・二次被害防止・再発防止の原則、（２）事実確認と情報の一元管理の原則、（３）透明性・開示の原則、（４）チームワークの原則、（５）備えあれば憂いなしの原則、を掲げている（独立行政法人情報処理推進機構セキュリティセンター『情報漏えい発生時の対応ポイント集』http://www.ipa.go.jp/security/awareness/johorouei/rouei_taiou.pdf）。

　情報漏えいが起こった際の対応方法はタイプにより異なってくるが、基本的なステップは、①発見・報告、②初動対応（事実関係の整理（５Ｗ１Ｈ：いつ、どこで、誰が、何を、なぜ、どうしたのか））、応急処置の実施）、③調査（被害の重要度の判定）、④通知・報告・公表等（本人・関係者への通知・お詫び、関係機関への報告、公表）、⑤抑制措置と復旧（二次被害防止策の実施）、⑥事後対応（再発防止策の実施）、となる。

　本事例は、情報漏えいが疑われるが漏えい経路が特定できないような状態での管理職の対応を問うものである。自らの自治体が定めている要領に沿って、冷静に、必要な対応をしていくことが重要である。

----

❶　妥当である。情報漏えい対応では、事実確認と情報の一元管理が重要である。

❷　誤り。適切な対応についての判断を行うため、目の前の事象に必要以上にとらわれることなく、５Ｗ１Ｈの観点で調査し情報を整理する。

❸　誤り。情報セキュリティ対策としては正しい対策だが、危機に直面した際に第一に行うべきものではない。

❹　誤り。警察への通報は、紛失・盗難が間違いないか、紛失したものは何か、を調査したうえで行う。

❺　誤り。すべての関係者への個別通知が困難な場合や、広く一般に漏えい情報による影響が及ぶと考えられる場合などは、ホームページへの掲載や記者発表による公表を行うが、情報の公表が被害の拡大を招く恐れのあるときは、公表の時期、対象などを考慮する。まずは事実の把握に努める必要がある。

【正解　❶】

設問 58 危機管理
上司不在のときの事故への対応

Q

　Aは、X市のZ地域まちづくりセンター長である。X市では、地域まちづくりセンターはその地域を所管する総合支所の下部組織に位置付けられており、Aセンター長の上司は、Y総合支所のB支所長となっている。

　ある日、Aセンター長がY総合支所に出張しているとき、Z地域まちづくりセンターのC庶務係長から、「センターのガスボンベに自動車がぶつかって小さな爆発が起きた。今も煙が上がっている。ガス漏れも止まっていないらしく、ガスの臭いがする」との連絡が入った。既に、警察、消防、ガス会社に連絡し、それらの到着を待っているとのことだが、更なる爆発の危険を感じているという。あいにくB支所長は休暇を取得しており、終日不在となっている。こうした場合のAセンター長の対応として最も妥当なものは、次のうちどれか。

A

❶　本庁総務担当に状況を報告するとともに、自らはY総合支所に待機し、その指示を待つ。
❷　B支所長への報告はB支所長が出勤した後にすることとし、急ぎ、事故の処理にあたる。
❸　X市の本庁に赴き、B支所長のその上の上司に事故の状況を詳細に報告し、指示を仰ぐ。
❹　現場の対応はC庶務係長に任せ、自らはY総合支所にとどまり、現場とY総合支所との間の連絡係の役割を担う。
❺　B支所長に一報を入れたうえで、至急、Z地域まちづくりセンターへ戻り、現場処理を率先して行う。

解説

　業務を遂行しているとき、「まさか」と思うような事態に遭遇することがある。常日頃から事故が生じないよう努めるのが仕事に携わる者の本分であるが、事故は自ら起こすものばかりではなく、「危機管理」の観点から言えば、様々な危機に備えた対応を普段から心がけることが管理職としての当然の責務と言える。様々な危機に直面したとき、留意すべき点は、①迅速に処理する、②誠意ある行動をとる、③正確に事実を把握する、④先を予測した準備をする、である。

　具体的には、①迅速な処理：初動において、上司、関係する機関等に、速やかな報告、連携を行う。対応の遅れや関係者への連絡を行わないことが、行政への誤解や不信につながる、②誠意ある対応：被害にあった者に対して、丁寧に誠意をもって対応する、③正確な事実の把握：正確な事実の経緯及び事故の内容、程度等を把握する、④先を予測した準備：根拠なく、楽観的または悲観的に考えることは厳に慎み、冷静な予測を心がけ、対応していく、という行動をとっていく。

　本事例は大規模災害につながる可能性があることから、Aセンター長は、B支所長に一報を入れた後、総合支所と情報共有を図りつつ、率先して現場対応を行う。

❶　誤り。事例の状況下においては、本庁からの指示を待つことなく、自らの判断で、センター来所者等の安全確保を最優先して行わなければならない。

❷　誤り。B支所長が所管する施設において起きた事故であり、B支所長がその状況を知らないという事態を生じさせてはならない。

❸　誤り。B支所長が休暇とはいえ、B支所長を飛び越えてその上司の指示を待つという姿勢は組織人がとるべき対応として正しくない。

❹　誤り。センター長（管理職）であるAが、乗用車の所有者、警察、消防、ガス会社等と連絡、調整の任にあたることで円滑な処理が進む。

❺　妥当である。Y総合支所庶務担当に状況を説明するとともにBに一報を入れたうえで、Z地域まちづくりセンターに戻り、率先して現場対応を行う。

【正解　❺】

設問 59 危機管理
メールによるウイルス感染が疑われる場合の対応

 Aは、X市の市長室秘書課長である。市長室は、日常的に他の機関とのやりとりが多く、国、県、他の市町村などのほか、市長室が把握していない民間事業者、団体や個人からの連絡が入ることも多い。こうした連絡はインターネットを介したメールで来ることが多く、市長室では、日頃から室を挙げてサイバー攻撃への備えをしている。ある日、室の組織端末に「【Y新聞社】新春の取材申込」という件名のメールが届いた。本文は挨拶文のみで「詳細は添付ファイルをご覧ください。機材持ち込み等が必要なので、本日中に取材可否についてご返答ください」と書かれていたので、添付ファイルを開封したところ、不審なURLへのアクセスを行うなど、ウイルスに感染した可能性が疑われる事象が現れた。A課長が第一にとるべき対応として最も妥当なものは、次のうちどれか。

---

❶ 速やかにネットワークから切り離し、被害拡大の防止を図る。無線LANの場合は接続を無効にする。
❷ 速やかに不審メールを受信したパソコンを初期化し、ウイルスを除去する。
❸ 速やかに端末にインストールされているウイルス対策ソフト（ワクチン）で駆除を試みる。
❹ 緊急かつ重大な案件であるので、速やかに室長に報告し、その指示に従う。
❺ 速やかに市の情報システム担当部門（情報集約窓口）に連絡し、指示を仰ぐ。

解説

　近年、サイバー攻撃の件数は年々増加し、攻撃手法も非常に巧妙化している。このうち、標的型メール攻撃の手口等では「ばらまき型」攻撃が多く、非公開メールアドレスへの攻撃、送信元メールアドレスの偽装、Word文書を添付した攻撃が急増している。もはや、サイバー攻撃を完全に防御することは現実的には不可能な状態にあり、こうした認識のもと、自治体においても、セキュリティインシデント（情報セキュリティを脅かす事件や事故のこと。ウィルスの感染、不正アクセスを受けること、ＵＳＢメモリなどの情報媒体の紛失などがこれにあたる）を未然に防ぐための対策を強化するだけでなく、攻撃を受けた際に被害をいかに最小限に抑えるか、といった観点に立った対策を講じていくことが求められている。

　本事例は、ウイルスが埋め込まれた添付ファイルを開封し、端末が感染したことが強く疑われるというもので、Ａは、速やかに、組織内の情報集約窓口（情報システム担当部門など）に連絡し、指示を仰ぐことが妥当である。

....

❶　誤り。対策としては正しい（緒論あり）が、ウイルスの種類によって対応方法が異なることから、第一に行うべきことはシステム管理者に連絡し、指示に従うことである。
❷　誤り。初期化すると感染機器や流出情報の特定が困難になるため、専門家に相談し、証拠保全と業務復旧の両面から対応を決定する。
❸　誤り。対策としては正しいが、感染（疑い）をいち早く組織で共有し、被害を最小限に止めるため、まずはシステム管理者に連絡しなければならない。
❹　誤り。被害を最小限に止めるため、システム管理者に連絡し、指示に従う。
❺　妥当である。肢のとおり。

【正解　❺】

COLUMN

なぜ部下に任せなければならないのか？
～辛抱がより高いレベルの施策を生む

　管理職は、目の前の仕事について、自分でやった方が早く、いいものができると思っても、まずは部下に任せるべきである。期限を気にしながらジリジリと待ち続け、その挙句、出てきた企画案や資料にがっかりさせられる、としてもである。

　理由は簡単で、自らやっては、それ以上の内容、レベルにならないからだ。部下はいかに促しても、上司が一旦作成したものに「物言う」ことはなく、その改善は期待できない。一方、部下が纏めた「がっかりしたもの」は、適切に手が加えられれば、レベルが上がっていく可能性がある。

　その際、管理職は能力を十全に発揮し「上乗せすること」が重要である。仮に自らの能力が10、部下が5だとして、部下が5の成果をあげれば、最大で15の成果を得ることが可能である。もちろん、自らが手を抜いてしまっては、そこまでの成果はあがらないだろうが…。

　このように、仕事の成果を最大限高めるためには、出てきたもののブラッシュアップを前提に、まずは部下に任せることが大切なのである。

4章

メンタルヘルス
服務規律

設問 **60** メンタルヘルス
部下の係長にうつ病が疑われる場合

Q

　A計画課長の部下であるB調整係長は、この1年間、市の長期計画の策定作業に従事しており、非常に多忙な日々を過ごしてきている。B係長は几帳面で、周囲にも気を使う性格であり、A課長は、緻密で正確なB係長の仕事ぶりを信頼していた。しかし、この2か月間、B係長の様子が変わってきた。例えば、遅刻や早退が増えるとともに、部下との会話が極端に少なくなり、また、仕事のミスが目立つようになった。最初のうちは、同僚の係長がB係長のフォローをすることにより何とか業務を進めていたが、最近は、業務に支障が出始めてきた。長期計画の発表は、3か月後に迫っている。この場合、A課長の対応として最も妥当なものは、次のうちどれか。

A

❶　会議室において、これまでのB係長の仕事ぶりを労うとともに、長期計画策定までの3か月間、全力を尽くすよう激励する。

❷　B係長と同僚の係長全員を会議室に招集し、B係長に不調の原因を説明してもらうとともに、今後の対応策を話し合う。

❸　B係長に対し、長期計画策定までの3か月間について、自らのスケジュールを作成させ、その進捗を管理する。

❹　B係長の家族に連絡し、B係長の不調について、その原因を問い合わせるとともに、適切な対応を依頼する。

❺　会議室において、B係長から、体調について話を聴いたうえで、産業医の受診を勧める。

解説

　職員がうつ病を発症すると、職場としては貴重な人材を長期にわたって失うこととなる。管理職にとって、部下のメンタルヘルスの向上は、危機管理としての側面をもつのである。職員にうつ病が疑われる場合、職場として早期に対応することが重要である。治療の開始が遅れるほど、その後の経過は悪くなる可能性が高い。早期に対応するためには、管理職は、部下の普段の様子を把握しておき、その変化を見逃さないようにすることが重要である。もし、部下が心の不調を示した場合、管理職は、まず、その職員の話を聴くことから始めるべきである。その際重要なことは、当該職員のプライバシーを守るため、会議室などの個室を確保し、当該職員と二人きりで話を聴くことである。さらに、管理職は、当該職員に対する説得や説教は控えなければならない。そのうえで、産業医などの受診を勧めるべきである。

　事例についてみると、B係長の変化は、うつ病を疑わせるものであり、A課長としては、できるだけ速やかにB係長と個室で面会し、B係長の話を丁寧に聴き、産業医の受診を勧める必要がある。その場合、B係長の業務の一部を同僚の係長にシフトさせ、B係長の負担を軽減しながらも、長期計画の策定作業は予定通り進める態勢を組むことを忘れてはならない。

....

❶　誤り。B係長がうつ病だった場合、仕事ぶりの労うのはよいが、激励は逆効果である。
❷　誤り。B係長にとって多くの人の前で話すのは苦痛であり、B係長の状況は改善されない。
❸　誤り。B係長にスケジュールを作成させても、B係長の状況は改善されない。
❹　誤り。いきなりB係長の家族に連絡した場合、B係長の信頼を失うとともに、いたずらに家族を動揺させる可能性が高い。
❺　妥当である。B係長の話を聴くときは、相手のペースを尊重しながら、気持ちを受け止め、信頼関係を築くようにするべきである。

【正解　❺】

設問 61 メンタルヘルス
うつ病で病気休職している職員への対応

　Aは、X市の観光振興課長である。同課は、年間を通じて全員が多忙であり、そのため、メンタルヘルスに問題を抱えている職員が数名みられた。A課長の部下である、B係長もそのうちの一人であり、半年前から、うつ病のため病気休職して、通院治療をしている。観光振興課の職員は、B係長の事情は理解しつつも、残業が続いていることから不満を抱いているものも多かった。A課長は、人事部門に増員を求めたが、年度途中であるため、来年の4月までは増員は困難と言われた。A課長としては、B係長には一日も早く復職して活躍してほしいと思っている。この場合、A課長の対応として最も妥当なものは、次のうちどれか。

❶　B係長の家族に連絡をとり、観光振興課の状況を説明したうえ、B係長を説得して出勤させるよう求める。

❷　B係長の主治医から病状を聴き、病状が改善しているようであれば、B係長に連絡をして出勤するよう指示をする。

❸　B係長の了解を得たうえで主治医から病状の説明を受けるとともに、B係長の意向を尊重しながら職場復帰の準備を進める。

❹　B係長が在宅で対応できる軽易な業務を整理したうえ、B係長に連絡をとり、在宅で業務を行うよう指示する。

❺　B係長の自宅を訪ねて面会し、観光振興課の状況を丁寧に説明して、一日も早く職場復帰をするよう要請する。

職場の職員が、不幸にしてうつ病となり、長期にわたって休まなければならなくなった場合、職場を預かる管理職としては、次の点に注意する必要がある。第一に、本人や家族、主治医との面談などにより、大まかな病状を把握しておく必要がある。また、医師には守秘義務があるため、医師と面談する際には、予め当該部下の了解を得ておく必要がある。第二に、本人や家族とは、最低でも月に１回は連絡をとるようにして、職場復帰の意向などを確認するべきである。第三に、主治医と十分に連携することである。具体的には、病状の把握だけでなく、職場の状況や休暇制度などについて説明し、職場としても当該職員の職場復帰を支援する旨を伝えておくことが重要である。多忙な職場であれば、管理職としては、一日も早く職場に復帰してもらいたいところだが、主治医の判断や当該職員の意向を無視して、強引に職場復帰を促すようなことは厳に慎まなければならない。また、職場復帰の目処がたったときには、早めに職場に連絡するよう当該職員に依頼しておき、職場復帰にあたっての調整に十分な時間がとれるようにするべきである。

　事例についてみると、観光振興課は明らかに人員不足に陥っているが、Ｂ係長の職場復帰については、Ａ課長は、焦ることなくＢ係長が確実に職場復帰できるように配慮するべきである。

••

❶　誤り。Ｂ係長の病状も確認せずに、家族に説得を求めるのは不適当である。

❷　誤り。たとえ病状が改善しているとしても、職場復帰に耐えられるか否かは分からない。

❸　妥当である。Ｂ係長が確実に職場復帰できるよう、無理のない方法で円滑にその準備を進めていくべきである。

❹　誤り。病気休職中は、療養に専念してもらうべきである。

❺　誤り。Ｂ係長の病状や意向を確認することなく、強引に職場復帰を求めるのは不適当である。

【正解　❸】

設問 62　メンタルヘルス
うつ病の職員が職場復帰するときの対応

Aは、X市の福祉相談課長である。福祉相談課は、窓口での相談業務を担っており、毎日、多くの相談者が訪れていた。課の職員は係長4人、係員15人で構成されていた。A課長の部下であるB係長は、この半年間、うつ病で休職していたが、通院を続けながら職場復帰できるまでに回復し、1週間後の11月1日から勤務することとなった。B係長が休職している間は、係長ポストが一つ欠員となっており、3人の係長がB係長の業務を分担している。2週間前にA課長がB係長と面会したとき、B係長は、「今まで職場に迷惑をかけたので、職場に戻ったら、一生懸命働きたい」と言っていた。この場合、A課長の対応として最も妥当なものは、次のうちどれか。

❶　B係長が職場に復帰したら、主として相談業務に従事してもらい、コミュニケーション能力の回復を支援する。
❷　B係長の円滑な職場復帰のために、最初の1か月は特に業務を分担させず、職場の雰囲気に慣れてもらう。
❸　B係長が職場に復帰したら、休職前と同様の業務を分担させ、早く業務の感覚を取り戻してもらう。
❹　B係長が職場に復帰したら、最初は定型的な業務を割りあて、様子をみながら徐々に業務のレベルを上げていく。
❺　B係長が職場に復帰する前に、課の職員全員にB係長の病状を詳しく説明し、B係長の通院に協力するよう指示する。

解説

　うつ病の職員の職場復帰にあたって、管理職としては、次の点に注意したい。第一に、当該職員に割りあてる業務の量と質である。まったく業務を与えないと、かえって本人が手持無沙汰となりつらい思いをするので、最初は定型的で締め切りの緩い業務を割りあてるようにする。その後、徐々に複雑な業務を割りあて、一つひとつをクリアしながら当該職員に自信をつけてもらうようにするべきである。また、当該職員は、休職していた負い目から、あせって休職前と同じレベルの業務をこなそうとする場合もあるが、そのような場合は、無理をさせないようにすることも必要である。

　第二に、精神疾患の場合、職場復帰後も通院による治療を必要とする場合が多いので、管理職は、その点に配慮する必要がある。間違っても、通院のための休暇取得を非難してはならない。これは、当該職員が通院や服薬をやめてしまうと、病気の悪化や再発を招く可能性が高いからである。したがって、管理職は、当該職員の了解を得て主治医と面会し、その治療方針を予め確認しておく必要がある。

　第三に、復帰する職場の職員に、当該職員に対して気を使い過ぎず、精神疾患以外の病気を患った職員が職場復帰する場合と同じように接するよう指導するべきである。なお、病状は個人情報であるため、具体的な内容を周知するのは避けるべきである。

・・・

❶　誤り。うつ病の職員が職場復帰した場合、いきなり対人業務を任せるのは不適当である。
❷　誤り。何も仕事がない状況で席に座り続けるのは、B係長としてはつらいので不適当である。
❸　誤り。B係長が、直ちに休職前と同様の業務を担うのは無理である。
❹　妥当である。最初は軽易な業務を割りあて、B係長の状況に合わせて業務レベルを徐々に上げていくことで、B係長は自信をつけることができる。
❺　誤り。B係長の病状は個人情報であり、課の職員全員に知らせるのは不適当である。

【正解　❹】

設問 63 メンタルヘルス
メンタルヘルスを損なう職員の発生防止策

Q

　Aは、X市の財政課長である。財政課は、1年を通じて慢性的に多忙であり、市役所の中で最も残業が多い職場として知られていた。この5年間、X市では、市長の強いリーダーシップのもと、行財政改革が急速に進められ、職員数は2割ほど削減された。そのため、どの職場でも残業が増加するとともに、メンタルヘルスを損なう職員が目立ち始めていた。今のところ、財政課ではメンタルヘルスを損なう職員は現れていないが、A課長としては、そのような事態が生じる前に、何らかの対策をとりたいと考えている。この場合、A課長の対応として最も妥当なものは、次のうちどれか。

A

❶　業務の優先順位の明確化や情報の共有を図るとともに、職員との良好なコミュニケーションを確保する。

❷　人事部門に対して、財政課の業務量に関するデータをもとに、ストレスへの耐性の強い職員を配置するよう要請する。

❸　インフォーマルコミュニケーションの充実を図るべく、懇親会や職場旅行の実施を庶務担当の係長に指示する。

❹　職員の能力を向上させることにより残業時間を削減するため、成果主義を徹底して職員を厳しく指導する。

❺　職員の健康状態を把握するため、毎日、朝礼を開催し、職員に健康状態を報告させる。

解説

　メンタルヘルスを損なう職員が発生すると、マンパワーが低下し、他の職員にしわ寄せが及ぶ。この結果、他の職員の中にも健康を害するものが発生する可能性がある。このような事態を避けるためには、メンタルヘルスを損ねる職員が発生する前に予防策を講じる必要があり、課長職はその中心となる担い手である。また、判例は、企業の社員が過労自殺した事件において、「使用者は、…業務遂行に伴う疲労や心理的負荷等が過度に蓄積して労働者の健康を損なうことがないよう注意する義務を負う」と述べており、さらに、使用者に代わって労働者に対し業務上の指揮監督を行う権限を有するものは、使用者の注意義務の内容に従って、その権限を行使するべきであるとしている（最高裁判例平成12年3月24日）。つまり、課長は、部下の健康に関する安全配慮義務の実行について責任を負っているのである。

　事例についてみると、財政課では、今のところメンタルを患っている職員はいないが、A課長としては予防策をとることが必要である。その際重要なことは、単に業務量を削減するということではなく、職員が前向きな気持ちで職務に取組むことができるような環境を整備することである。

❶　妥当である。業務の優先順位を明確化し、情報の共有を図ることにより、職員は、自分がどの業務に集中すべきかが把握できる。また、上司との良好なコミュニケーションは、職員の士気を高めることに資する。

❷　誤り。ストレス耐性の強い職員のみを集めることは困難であり、現在、配置されている職員を前提に対策を考えるべきである。

❸　誤り。業務の中における対策が第一であり、インフォーマルコミュニケーションはそれを補完するものに過ぎない。また、インフォーマルコミュニケーションを嫌う職員もいることを忘れてはならない。

❹　誤り。極端な成果主義は、職員に過度のストレスをかけ、メンタルヘルスを損なう原因となる。

❺　誤り。健康状態は個人情報であり、他の職員の前で報告させるべきではない。また、人前では、職員は本当のことを言わない可能性が高い。

【正解　❶】

設問 **64** メンタルヘルス
上司に躁うつ病が疑われる場合

　Aは、市の土木事務所の庶務課長であり、今年で在職3年目である。A課長は、一昨年4月に着任したB所長の様子が気になっていた。それは、B所長が、憂鬱そうなときと、活力のあるときが定期的に入れ替わることであった。A課長がみるところ、最近その振幅が激しく、1か月前に、午前4時にA課長の自宅に電話をかけてきて、市の道路整備のあり方について1時間ほどまくしたてた。ところが、1週間前からは、B所長は急に無口になり、部下と言葉を交わすことさえつらそうであった。来週早々には、道路建設に関する住民説明会が予定されており、B所長が事務所の責任者として出席することになっている。この場合、A課長の対応として最も妥当なものは、次のうちどれか。

❶　住民説明会の準備を入念に行ってB所長に丁寧に説明し、B所長が自信をもって住民説明会に臨めるようにする。
❷　B所長に対しては、住民説明会への欠席を進言するとともに、土木事務所の他の管理職と協力して住民説明会の準備を進める。
❸　B所長に対し、組織を挙げて住民説明会に臨むことを部下とともに説明し、B所長を激励する。
❹　B所長に対し、躁うつ病の特徴を説明しながら、早急に医療機関を受診することを強く勧める。
❺　本庁の人事部門に対して、住民説明会までにB部長を異動させ、新たな部長を着任させるよう依頼する。

躁うつ病は、双極性障害とも言われ、躁状態とうつ状態が周期的に表れる病気である。躁状態のときには、夜も寝ずに意欲的に行動する、多弁で早口になる、尊大な態度をとるといった行動がみられる。一方、うつ状態のときは、気分の落ち込み、意欲の減退、不眠といった症状が現れる。一般的に、躁状態は短く、うつ状態が長いと言われている。躁うつ病は、再発率が高いことから、症状が治まっても医師の指導のもとに予防治療が必要となる。課長としては、職場にこのような特徴を示す職員がいる場合は、早急に対応するべきである。具体的には、会議室などの個室で面談を行い、当該職員の話をよく聞き、医療機関の受診を勧める必要がある。受診を勧めるにあたっては、無理強いをするのではなく、例えば、「病気かどうかを判断してもらうために受診してみてはどうか」といった言い方をするのが穏当である。また、職員に病気の自覚がない場合は、精神科の受診を勧めると当該職員との関係を悪化させる可能性があるので、その場合は、かかりつけ医への受診を勧めるのも一つの方法である。

　事例についてみると、B所長の状態は躁うつ病が強く疑われ、現時点ではうつ状態である。したがって、住民説明会は欠席してもらうのが妥当であり、土木事務所の管理職が協力して対応することで乗りきるべきである。

❶　誤り。入念に住民説明会の準備を行うのはよいが、それ自体では、B所長の状態は改善しない。
❷　妥当である。B所長の状態は住民説明会に耐えられない可能性があることから、目前の住民説明会は管理職が協力して対応するべきである。
❸　誤り。激励してもB部長を苦しめるだけで状態は改善せず、かえって悪化する可能性がある。
❹　誤り。医療機関の受診は必要であるが、いきなり病名を挙げて受診を勧めるのは不適当である。
❺　誤り。短期間に部長級の職員を異動させることは困難である。

【正解　❷】

設問 65 メンタルヘルス
塞ぎ込んでいる係長から話を聴く場合

　Aは、X市の企画部企画課長であり、市の総合計画、県の市町村課との窓口などを所管している。部下のB主査は、本年4月に福祉部から異動してきた。B主査の福祉部での評価は高く、A課長も企画課での活躍を期待していた。しかし、B主査は、着任から半年ほど経過したころから、「企画課の仕事は県庁との調整が難しくて、自分に合わない」とこぼしており、最近は、自席の電話が鳴っても取らず、塞ぎ込む姿を目にすることが多かった。周囲の職員もB主査の様子を気にしている模様である。A課長はB主査から話を聴こうと考えている。この場合、A課長の対応として最も妥当なものは、次のうちどれか。

❶　自分の席にB主査を呼び、県庁との調整で困っていることを聞き出し、対応方針を指示する。
❷　自分の席にB主査を呼び、雑談を交わしてリラックスさせた後、十分に休養をとるよう指示する。
❸　会議室においてB主査と面談し、まずはB主査の話を聴き、困っている点を明確にしながら、対応策を話し合う。
❹　十分に時間が確保できるときに、会議室においてB主査と面談し、対応策が決まるまで徹底して話し合う。
❺　会議室において、B主査に対して、県との調整に関する自分の過去の経験を詳しく説明して、それに基づく対応策を指示する。

課長は、職員の心の不調に気づいた場合、当該職員に声をかけて相談を受けるべきである。当該職員が心の病であった場合、そのまま放置しておくと病状が悪化し、長期の療養を余儀なくされる可能性がある。相談を受けるときは、本人のプライバシーを保護するため、会議室などの個室で面談を行うとともに、本人が話しやすいように第三者は同席させないようにする必要がある。まず、課長が心がけることは、相手の話を聴くことに重点を置くことである。上司と部下といった上下関係を相談の場にもち込んでしまうと、相手との信頼関係を築くことができず、問題の解決から遠ざかってしまう。また、相手を説得しようとしてはならず、適切な質問を投げかけるなどして、具体的な対応策を一緒に考えていくべきである。さらに、当該職員の疲労を考えると、1回あたりの相談時間は長くても1時間以内に収めるべきである。なお、課長が、当該職員との話合いを通じて得られた情報をもとに、医療機関に相談する場合は、原則として、予め本人の了解を得る必要がある。なお、自殺をほのめかすといった言動がみられる場合は、一刻の猶予もならない。当該職員への受診の勧奨、家族への連絡といった対応を迅速に進める必要がある。

- ❶　誤り。他の職員が周囲にいる場所では、B主査は本当のことを言わない可能性がある。また、個人情報保護の観点からも、自席で話を聴くことは適切ではない。
- ❷　誤り。❶と同様に不適切である。
- ❸　妥当である。A課長はB主査の話をよく聴くことが大切である。その上で、今後の対応を話し合うべきである。
- ❹　誤り。相談時間は、長くても1回あたり1時間以内に収める。それ以上長く話し合っても成果は期待できず、また、B主査が疲労してしまう。
- ❺　誤り。B主査が困っていることは県との調整だけとは限らないので、A課長は、まず、B主査の話を聴かなければならない。また、自分の経験を長々と披歴することは避けるべきである。

【正解　❸】

設問 66 服務規律
職務に関連のある業者とのオンライン会議

　AはX市の産業課長である。新興感染症拡大の影響で人が集まるイベントの開催が制限される中、市内の商店街には活気が戻らない。そこでA課長は、今年の商店街振興祭りは、オフライン（リアル）とオンライン（バーチャル）の両方から盛り上げ、商店街に活気を呼び戻したいと考えている。そうした話を、祭りの広報業務を受託している地元ケーブルテレビのB企画部長に伝えたところ、「次の土曜日に、弊社が主催する商店会連合会のオンライン会議とオンライン飲み会があるので、そこに参加してはどうか。お酒とお肴はご自宅に届けさせるので、商品と引換えにお金を払っていただければいい」という提案を受けた。A課長の対応として最も妥当なものは、次のうちどれか。

A

❶　これまでもオンライン飲み会をやってきていて問題となったことはないので、今回も参加して、商店会役員との意見交換を行う。

❷　これまで付き合いがなかった人たちと知り合う絶好の機会であり、「商店街振興」という業務の一環と捉えて、両イベントに参加する。

❸　公務外といえ、利害関係者が主催するイベントに参加することは、住民の目からみて理解が得られないので両イベントとも断る。

❹　公務外であり、単なる私的な付き合いであると言えるので、両イベントに積極的に参加する。

❺　庁内の仲間の課長にそれとなく聞き、他の部署でも行われているのであれば参加し、そうでない場合には断りを入れる。

国の国家公務員倫理審査会は、「倫理法・倫理規定Q&A」において、「利害関係者」との間で規制される行為を、「そのような行為が『利害関係者』との間でなされると、公正な職務の執行に対する国民の疑惑や不信を持たれるもの」と定義し、「供応接待を受けること」「一緒に旅行、ゴルフ・遊技（麻雀など）をすること」などを列記している。さらに、「たとえ割り勘だとしても、公務員が自分が許認可等を与えたり、補助金の交付決定をする事務に携わっているその相手方と、一緒にゴルフや旅行をしたりする姿を一般の人が見れば、職務の執行の公正さに対して疑問を持つのではないでしょうか。」と問いかけている。

　本事例の、関係者と一堂に会した意見交換ができるオンライン会議は、業務遂行上の必要ありと言えなくもない。しかし、市の業務を委託している事業者が主催するオンライン飲み会にまで参加することは、一考の余地がある。A課長の商店街振興のために関係者と密に情報交換をしたいと思う熱意が是であるにしても、である。A課長には、自らの行動が住民の目にどのように映るか、をよく考え、慎重に行動することが求められる。

　なお、具体的な禁止事項は自ら属する自治体の例をよく知っておくこと。

❶　誤り。自らの行為が、職務の執行の公正さに対する住民の疑惑や不信を招くような行為に該当するか否かを慎重に判断することが必要である。
❷　誤り。業務の一環と位置付けられるものであるからこそ公平公正に処することが必要であり、一層慎重に行動することが求められる。
❸　妥当である。服務規律違反に該当するものであり断る。判断に迷う場合には、制度所管部署や他の管理職によく相談して判断していくことが有効であるが、あわせて「住民の目から見て」という感覚をもって判断することが重要である。
❹　誤り。私的な付き合いとは言い難い。
❺　誤り。他人がどのような行動をしているかは問題ではない。

【正解　❸】

設問 67 服務規律
部下の公務外での自動車事故

Q

　休日の午後、A課長は、外出先にいるときに、部下のB主事から、「旅行先の高速道路で、前を走っていた自動車と衝突してしまった。今、警察の事情聴取を受けている。飲酒はしていない」との連絡を受けた。電話口からは、B主事は気が動転していて何をしてよいのか分からない様子が伺えるが、日頃から、A課長に、「事故を起こしたら、休暇中であっても、昼でも夜でも、いつであっても、必ず電話等で報告するように」と言われていたことを思い出して連絡してきたとのことであった。こうした場合のA課長の対応として最も妥当なものは、次のうちどれか。

A

❶　「自分も外出先にいるので、以降の報告は要しない」と言って、B主事には特に以降の報告を求めない。

❷　B主事には以降の報告を求めるとともに、A課長は自らの上司に一報を入れる。

❸　飲酒運転の場合は上司に報告するが、今回は飲酒を疑うようなことはないので、そのまま様子をみる。

❹　上司に報告し、あわせて、自分は日頃から部下に対して指導を行っていたことを忘れずに伝える。

❺　公務外と言えども事故は事故なので、市の服務担当に速やかに連絡し、指示を仰ぐ。

人事院が定める「懲戒処分の指針について」(平成12年3月31日職職―68)(人事院事務総長発)(最終改正:令和2年4月1日職審―131)では、交通事故・交通法規違反について「4　飲酒運転・交通事故・交通法規違反関係」として項目を設け、処分の基準を示している。

　交通事故を起こすことは道路交通法等の交通法規に違反する行為を犯すことであり、全体の奉仕者(地方公務員法30条)としてふさわしくない行為であることから、信用失墜行為に該当し、その程度によって公務上・公務外を問わず、懲戒処分の対象となる可能性がある。

　自動車は、日々の業務のみならず、私生活においても利用することが多く、実際に、交通事故・交通法規違反を皆無にすることは大変難しいが、管理職としては、①職務上、自動車を運転する職員に対しては、交通安全について正しい知識をもち、常に安全運転を心がけるよう指導する、②自動車使用のルールを徹底させる、③公務上、公務外を問わず、交通事故・交通法規違反をした場合には速やかに報告させる、といった指導をしていくことが必要である。事例の交通事故は、交通法規に違反し、信用失墜行為に該当する可能性が高いことから、A課長は、報告を受けたときには、速やかに自らの上司に報告する。

・・

❶　誤り。適切に対応していくため、以降の報告も求めていく。

❷　妥当である。速やかに上司に報告する。

❸　誤り。飲酒の有無を問わず、交通事故は道路交通法等の法令に違反するものであり、信用失墜行為に該当するので、上司に報告するべきである。

❹　誤り。上司に報告する際には、自分が日頃から部下に対して指導を行っていたことを伝えることは必須ではない。まずは事実を報告する。

❺　誤り。まずは自らの上司に一報を入れ、上司と相談のうえ、服務担当など必要な部署への報告を行う。

【正解　❷】

設問 68 　服務規律
アルコールが原因で欠勤が増えた職員

Q

A課長の部下のB主事は、若い頃から酒席の付き合いが好きな職員として庁内でも有名な職員であるが、近年、1年の前半で年次有給休暇のほとんどを使い果たすことが多く、A課長は着任早々からその言動を注視し、口頭にて注意・指導を行ってきた。

夏前頃には、仕事上の単純ミスや業務遂行の遅れが目立ってきたり、身だしなみがだらしなくなるなど、勤務態度が不良となるほか、同僚との間に不必要な衝突をつくり出す、すぐにかんしゃくを起こすといった問題行動がみられるようになった。10月以降は、休み明けにあいまいな理由で当日申請による休暇をとることが増え、また、見え透いた言い訳で何度も遅刻するようになった。こうした場合のA課長の対応として最も妥当なものは、次のうちどれか。

A

❶ 係員の指導は係長の仕事であり、B主事の直属の係長に対し、必要な指導を行うよう指示する。
❷ B主事にはこちらから話しかけ、いつでも相談を受ける用意があることを示し、問題解決に向けた話合いをもつようにする。
❸ B主事の勤務不良の結果は、他の職員への負荷を増加させることになるため、B主事には簡単な仕事のみを任せるようにする。
❹ 本人に対してアルコール性疾患の疑いを伝えるほか、必要に応じて専門医、家族と連携し、生活管理を行わせる。
❺ 実態を正確に把握し、必要に応じて弁護士等と相談するなどにより、確実な事故予防を図る。

「すべて職員は、全体の奉仕者として公共の利益のために勤務し、且つ、職務の遂行に当つては、全力を挙げてこれに専念しなければならない。」（地方公務員法30条）と定められており、重大な服務義務違反があった場合には懲戒処分の対象となる場合がある。

　職員は、勤務できないときは、あらかじめ休暇・職務専念義務免除等を届け出なければならず、やむを得ない事由により、あらかじめ届け出ることができない場合には、その旨を速やかに連絡し、出勤後ただちに必要な届け出をしなくてはならない。所属長は、私的な事由により、無断欠勤、遅参又は早退を行ったものに対しては、速やかに注意・指導を行わなければならない。

　欠勤事故は、刑事事件等に付随するものを除けば、アルコール性疾患、精神系疾患、多額の借財等に起因する場合が多い。管理職は、日常的に服務規律の確保、職務分担やその内容・量への注意、職員の経済状況の把握などを行うことが重要である。また、重大事案の場合には速やかに専門家に相談するといった組織的な体制を構築しておくことも重要である。

　本事例は、アルコール性疾患に起因する欠勤が疑われることから、日常の指導や適切な対応により効果的に欠勤事故を予防するべきである。

❶　誤り。服務上の問題には管理職が積極的に関与し、事故予防に努めることが必要である。
❷　誤り。これは、精神系疾患が疑われる場合の対応についての説明である。
❸　誤り。B主事の欠勤には対応していないため、服務上のリスクを解消することはできない。
❹　妥当である。まずアルコールの問題があることを本人に認識させ、治療へとつなげることが重要である。
❺　誤り。これは、多額の借財をしていることが疑われる場合の対応についての説明である。

【正解　❹】

設問 69 服務規律
セクシャルハラスメントへの対応

Q

　A課長の上司のB部長は、思ったことをすぐ口にするタイプである。何を考えているか分かりやすいが、セクシャルハラスメントに該当するのでは、と思う言動も多く、A課長は気になって仕方がない。

　ある日、A課長の部下であるC主事から、「先日の忘年会で、B部長から、お酒をつぐようにしつこく迫られた。『C主事の注いだ酒は旨い』と言ってくれるし、上司なので断りづらいが、余りしつこいと嫌になってしまう。最近は、B部長の顔をみるくらいなら仕事を休んでしまおうか、という気持ちにもなってしまう。これはセクシャルハラスメント行為に該当するのではないだろうか」と相談された。こうした場合のA課長の対応として最も妥当なものは、次のうちどれか。

A

❶　C主事の話は聴くが、職場外の会合であり、酒席の場の出来事でもあるため、B部長に対しては何も言わない。

❷　C主事の話を踏まえ、B部長に対して、セクシャルハラスメントに該当する言動はやめるよう申し入れる。

❸　C主事に対し、B部長がお酌を要求した際に毅然とした態度をとらなかったことを厳重に注意することで再発の防止に努める。

❹　今回のB部長の言動は普段の親睦会でもよくあるものなので、日常的にB部長に接する中でそれとなく話をする。

❺　C主事、B部長から話を聴き、事実を確認したうえで、市の人事担当と相談しながら、セクシャルハラスメントか否か判断する。

セクシャルハラスメントとは、相手を不快にさせる性的な言動一般を指すものである。その対象となった人の尊厳や名誉を傷つけることにとどまらず、職場の秩序を乱して職員のモラール低下を助長することにもつながる。また、セクシャルハラスメントの被害を受けた人の心身の健康に大きなマイナスの影響を及ぼすほか、事案が公になった場合には、住民からの信頼を損なうことにもつながる。こうした認識のもと、管理職は、自らの職場においてセクシャルハラスメントが起こった場合には迅速に対応することはもとより、その防止に努めなくてはならない。

また、セクシャルハラスメントに該当する恐れのある言動があった場合には、その場で本人に注意し、「この職場では一切のセクシャルハラスメントを許さない」という断固とした姿勢を示すことが大切である。

セクシャルハラスメントが行われたとされる現場は通常目撃者がいないことが多いので、相談を受けた場合には、相談者の心の痛みの理解に努める一方で、相談者からの話だけに偏ることなく、別途、相手方からの話を聴くなど、慎重に事実の確認を行うことが重要である。

❶ 誤り。職場の忘年会は、職場外のことではあるが、職場の人間関係がそのまま持続する場でもあり、相手が不快に感じている場合にはセクシャルハラスメントに該当する可能性がある。

❷ 誤り。後段は正しいが、加害者とされたB部長からも事情を聴き、C主事の主張の一つひとつについて事実を確認する必要がある。

❸ 誤り。C主事との間の信頼関係を損なうことなく事実の把握に努め、具体的な対策を講じるべきである。

❹ 誤り。事態を放置しては悪しき職場風土を醸成しかねないので、躊躇せず、速やかにB部長から話を聴くべきである。

❺ 妥当である。セクシャル・ハラスメントと認定された場合には、謝罪、配置転換、事故報告などの措置がとられるべきであり、あわせてC主事の受けたダメージの回復にも努めていく。

【正解 ❺】

設問 70 服務規律
副業収入を得る職員

Q

　Aは本庁の課長である。ある日、市の公益通報窓口に、「キャンプ関連グッズを扱う会社の広告が載せられているブログがあり、そちらのB主任にとてもよく似た人の画像が多数アップされている。市の職員が、ブログで広告収入を得ていいはずがない。至急、事実を確認して処分すべき」という投書があった。通報を受け取ったAは、その一週間後に、B主任との自己申告の面談の場でBから話を聞いたところ、Bは5年以上、自らが運営するブログに掲載した広告を通じて報酬を得る、いわゆるアフェリエイト収入を得ていたことが分かった。詳細な事実確認ののち、Bは懲戒処分、Aは管理監督責任を問われ、口頭注意となった。A課長がこのことを将来の戒めとして受け止め、今後取っていくべき方策として妥当でないものは、次のうちどれか。

A

❶　職員に「兼業・兼職」について周知、徹底を図るほか、近年の事例の紹介などを通じた意識啓発を行う。

❷　チェックリストを用いて職員自身に定期的な確認を促すほか、兼業・兼職を取り上げた事例検討会などを開く。

❸　兼業・兼職の該当が疑われる事実を把握したときは、速やかに対処し、必要に応じて原因や背景を検証し、再発防止措置を講じる。

❹　常日頃から職員の服務状況等や仕事ぶりの把握に努め、無断離席が増えたなどの行動が見られたときは、適切な指導・監督を行う。

❺　部下に対して、同僚の言動に不審が感じられた場合には、どんな些細なことでもただちに上司に報告するよう指導する。

解説

　アフェリエイトとは、自ら開設したブログやサイトなどに、企業から提供される広告を掲載し、その広告を経由して企業に売上げが発生すると、売上げの一部が報酬として支払われるものであり、近年、手軽に稼げる副業として話題にのぼることが多い。

　さて、地方公務員法38条は、「職員は、任命権者の許可を受けなければ、…自ら営利企業を営み、又は報酬を得ていかなる事業若しくは事務にも従事してはならない。」とし、営利企業への従事等を制限している。また、最高裁判決（昭和56年4月24日）は、「（所得税法27条1項に規定する）事業所得とは、自己の計算と危険において独立して営まれ、営利性、有償性を有し、かつ反覆継続して遂行する意思と社会的地位とが客観的に認められる業務から生ずる所得をい（う）」としている。事例の、自ら開設したサイトに商品の広告を掲載し、これを通じて収入を得ることは、本判例の「事業所得」に該当し、地方公務員法38条の「事業」に該当することから、営利企業への従事等の制限に抵触すると見做される。複数の自治体等で懲戒処分事例があることからも、管理職は、機会あるごとに、職員の意識啓発、自覚の向上に努めるとともに、職の信用失墜につながる非行を察知した際は、速やかに事実確認を行うなどの対応を取らなくてはならない。

❶　妥当である。解説のとおり。
❷　妥当である。解説のとおり。
❸　妥当である。解説のとおり。
❹　妥当である。日頃から職員の勤務態度等を十分に把握し、指導・監督を適切に行うことが必要である。
❺　誤り。良好なコミュニケーションを保ち係内の連携を保つためには、常日頃から同僚の言動に気を配ることは重要だが、ただちに上司への報告を求めるように過度な相互監視を求めることは、課内のコミュニケーションを妨害し業務の効率化を損なう恐れがあるため、対応としては不適切である。

【正解　❺】

事例で学べる行政判断　課長編
第1次改訂版
　　　　　　　　　　　　　　Ⓒ 自治体行政判断研究会　2022年

2017年（平成29年）　5月15日　　初版第1刷発行
2019年（令和元年）　5月30日　　初版第2刷発行
2022年（令和4年）　10月4日　　第1次改訂版第1刷発行
2024年（令和6年）　8月26日　　第1次改訂版第2刷発行

定価はカバーに表示してあります。

編　者　　自治体行政判断研究会
発行者　　大　田　昭　一
発行所　　公　　職　　研

〒101-0051
東京都千代田区神田神保町2丁目20番地
TEL03-3230-3701（代表）
　　03-3230-3703（編集）
FAX03-3230-1170
振替東京　6-154568

ISBN978-4-87526-430-9 C3031　　　　http://www.koshokuken.co.jp/

落丁・乱丁は取り替え致します。　PRINTED IN JAPAN　　　　　印刷　日本ハイコム㈱

ISO14001取得工場で印刷しました。

◆本書の一部または全部を無断で電子化、複製、転載等することは、一部の例外を除き著作権法上禁止されています。

公職研図書案内

昇任試験必携 地方自治法のポイント整理とチェック
定価◎本体1,850円+税

昇任試験必携 地方公務員法のポイント整理とチェック
定価◎本体1,750円+税

単元ごと見開きで構成。左ページでその単元のポイントを解説し、右ページで○×形式の習得チェック問題を掲載しています。「よく出る」シリーズとの併用を!

地方自治法よく出る問題123問
定価◎本体2,050円+税
地方公務員法よく出る問題108問
定価◎本体1,950円+税

政令市、中核市で一番売れている択一問題集。「ポイント整理とチェック」シリーズとのリンクを実現。両書の併用で、理解がよく深まる!

重点ポイント昇任試験時事問題（年度版）

その年の昇任試験に出るテーマを厳選。幅広い分野の「時事問題」が5肢択一で学べる、自治体昇任試験対策の人気の書籍です。
定価◎本体1,950円+税

キーワードで書ける頻出テーマ別合格論文答案集

【職場・職務系】と【政策系】の頻出18テーマを徹底分析。最新政策情報を盛り込んだ、答案例豊富な論文対策の新バイブル。
定価◎本体1,900円+税

その回答が面接官に響く!昇任面接対策講座
定価◎本体1,700円+税

自分なりの「管理監督職として必要な考え方」を身につけることができる、最新の面接対策書。内容充実の想定問答で、自信をもって受験することができる!

必ず合格できる昇任面接対策法
定価◎本体1,600円+税

一般式・事例式の多様な面接方式、どんな質問にも対応できる応用力養成に!

公職研図書案内

堤　直規 著
教える自分もグンと伸びる！ 公務員の新人・若手育成の心得

現職課長で、キャリアコンサルタント（国家資格）でもある著者が、忙しい毎日の中で新人・若手育成を進めるための実践的なポイントをずばり解説。入庁からの１年間、新人ＯＪＴの月別メニュー付き！　　　　　　　定価◎本体1,700円＋税

澤　章 著
自治体係長のきほん 係長スイッチ
押せば仕事がうまくいく！ 一歩先行く係長の仕事の秘けつ

「若手職員に覇気がない」「定時に帰れない」「女性係長としての心構えは？」…自治体の係長が直面する様々な課題や悩みを取り上げ、それを乗り越えるためのコツ＝「係長スイッチ」を伝授する一冊。　　　　　定価◎本体1,350円＋税

今村　寛 著
「対話」で変える公務員の仕事
自治体職員の「対話力」が未来を拓く

人を引きつける「対話」の魅力とは何か、なぜ「対話」が自治体職員の仕事を変えるのか、何のために仕事を変える必要があるのか──。そんなギモンを「自分事」として受け止め、「対話」をはじめたくなる一冊。　　　　定価◎本体1,800円＋税

阿部のり子 著
みんなで始めよう！公務員の「脱ハラスメント」
加害者にも被害者にもならない、させない職場を目指して

多様なハラスメントの態様を知り、センスを高め法的理解を深めて、自分も他人も加害者・被害者にならない・させないための必読書。現役公務員と３人の弁護士が解説。職場の実務に役立つヒントが満載。　　　　定価◎本体1,800円＋税

佐藤　徹 編著
エビデンスに基づく自治体政策入門
ロジックモデルの作り方・活かし方

エビデンスによる政策立案（EBPM）・評価とは何かという【基礎】から、実際にロジックモデルを作成して、政策・施策に活用する【応用】まで。ロジックモデルを"学べる×使える"ワークシートのダウンロード特典付き。
　　　　　　　　　　　　　　　　　　　　　　　　　定価◎本体2,100円＋税